DIDEROT DRAMATURGE DU VIVANT

ÉCRITURE

COLLECTION DIRIGÉE PAR

BÉATRICE DIDIER

DIDEROT DRAMATURGE DU VIVANT

Béatrice Didier

Presses Universitaires de France

ISBN 2 13 051638 6
ISSN 0222-1179

Dépôt légal — 1re édition : 2001, mars

« Le prodige, c'est la vie, c'est
la sensibilité ; et ce prodige n'en
est plus un... » (*Le Rêve de d'Alembert,* GF, p. 85).

Pour *Le Fils naturel* et pour les *Entretiens,* nous nous sommes servie de
l'édition « Bouquins », t. IV, établie par L. Versini ; pour *Le Rêve de
d'Alembert*, de l'édition GF établie par J. Roger. Afin de ne pas multiplier
les renvois de notes, les références à ces textes se trouvent à la suite des
citations, dans le cours même de notre ouvrage.
Nous désignons par B, l'édition Versini, Laffont, « Bouquins » ; par L,
l'édition Lewinter, Club français du livre ; par DPV, l'édition H. Dieckmann, J. Proust, J. Varloot *et alii,* Hermann.

Un écrivain passionné de théâtre et de médecine

Diderot s'apparente aux hommes de la Renaissance, ainsi à Rabelais qu'il appréciait fort, par l'universalité de ses curiosités, par l'ampleur de ses connaissances étayant l'audace de sa pensée. Sa forte personnalité donne une cohérence à ce qui aurait pu être de la dispersion. Il est lui-même à l'image de son *Encyclopédie* : diversité extrême de sujets abordés, mais unité d'un livre, d'un grand livre. Cette cohérence dans la diversité provient, en partie au moins, de deux traits de son caractère et de son intelligence : l'obstination et le don d'établir des passerelles, deux caractéristiques qui se conjuguent assez rarement, l'obstiné ayant tendance à s'enfermer dans sa seule obsession. L'obstination ? il en a donné largement les preuves en poursuivant la publication de l'*Encyclopédie*, mais on en retrouverait bien d'autres signes dans sa vie et dans sa production ; ce qu'il aime, il l'aime toujours. Conteur, il l'est toute son existence : depuis *Les Bijoux indiscrets* jusqu'à *Jacques le Fataliste*. Passionné de musique, il n'a cessé de l'être et il ne serait pas difficile de marquer la continuité qui existe entre une œuvre de jeunesse, comme les *Mémoires sur différents sujets de mathématiques* largement consacrés à cet art et une œuvre tardive, comme les *Leçons de clavecin et Principes de l'harmonie* écrits en collaboration avec Bemeztrieder. Des passerelles entre le goût du conte et le goût de la musique ? L'utilisation de la musique comme thème structurant de l'œuvre ? Là encore on notera une certaine parenté entre *Les Bijoux indiscrets* et *Le Neveu de Rameau*. Il serait encore plus aisé de montrer la constance chez Diderot du combat philosophique, de la *Promenade du sceptique* à l'*Histoire des deux Indes*.

Parmi tant d'autres, il est deux passions qui n'ont cessé de se développer chez Diderot, celle de la biologie et celle du théâtre. Quand il accepte, en 1743, de traduire le *Dictionnaire de médecine* de James qui paraîtra en 1746-1748, il y est peut-être amené par des nécessités financières, mais il s'y intéresse, et finalement fait pratiquement tout le travail, ses deux collaborateurs, Eidous et Toussaint, étant vite défaillants. À l'extrême de sa vie, on le retrouve, passant l'année 1780 à travailler aux *Éléments de physiologie*, déjà mis en route les années précédentes. De même pour le théâtre, aimé passionnément, assidûment fréquenté dès les années que l'on appelle « de Bohème » (1737-1740). Diderot applaudit Montmesnil, le fils de Lesage, la Dangeville et la Gaussin, Quinault-Dufresne, la Balincourt, va chez les Italiens et à l'Opéra ; cette passion du théâtre, il la gardera toute sa vie ; si *Le Fils naturel* et *Le Père de famille* relèvent des années de la maturité (1756-1758), des ébauches et des adaptations jalonnent toute son existence. Des premiers essais remonteraient à 1745 et sont perdus ; après *Le Père de famille*, il ébauche *Le Joueur* (1759), tragédie domestique anglaise adaptée de Moore, *Le Commissaire de Kent* (1759) qui devient *Le Shérif* (1769) ; il semble que Diderot ait eu l'intention d'accompagner ces pièces ébauchées, comme celles qui ont vu le jour, de textes théoriques. Dans une lettre à Grimm du 3 ou 4 août 1759, il énumère les travaux qu'il a en chantier : « Je ne fais point entrer en compte ni *Le Shérif de Kent ou Le Commissaire*, ni *La Jalouse*, ni *L'Honnête femme*, ni *Les Mœurs honnêtes comme elles le sont*, ni le *Socrate*, ni les discours qui suivront ou précéderont chacun de ces ouvrages. »[1] Citons encore un

1. *Correspondance*, Laffont, « Bouquins », t. V, p. 130-131. Voir aussi p. 116-118.

projet : *Les Pères malheureux* (1770) ; en 1777, une tragédie *(Terentia)*, et surtout le deuxième état de *Est-il bon ? Est-il méchant ?* que l'on peut considérer comme sa meilleure pièce achevée ; en 1775-1776 il commence *Les Deux Amis*, et continue à penser à une *Mort de Socrate* ; en février 1784, donc quelques mois avant sa mort, il réclame à Girbal le manuscrit d'*Est-il bon ? Est-il méchant ?*, pour d'ultimes corrections[1].

Qu'il y ait un lien, qu'en tout cas Diderot en établisse un, entre son goût du théâtre et sa passion pour les sciences de la vie, c'est ce que nous aimerions prouver dans ces quelques pages, en nous attachant plus particulièrement au *Fils naturel*, aux *Entretiens sur le Fils naturel*, et au *Rêve de d'Alembert*, sans négliger pour autant d'autres textes. Dialectique de la liberté et du déterminisme ou de la fatalité, au théâtre comme dans la physiologie ? Mobilité du vivant au sein de lois, de contingences ? Peut-être est-ce là que l'on pourrait trouver une explication à une convergence entre des domaines en apparence bien éloignés. Ces parentés, cependant, sont rendues plus éclatantes par la façon dont Diderot les représente, par la théâtralisation de la biologie qu'il opère dans *Le Rêve de d'Alembert*, tandis que toute la transformation du théâtre qu'il préconise consiste essentiellement à introduire la présence du corps et sa physiologie sur la scène. Tout alors est dialogue, non seulement le théâtre qui l'est par nature, mais aussi les réflexions sur l'esthétique, les visions de l'évolutionnisme, les propos du philosophe, la parole et l'échange devenant le signe même de cette circulation de la vie à tous les niveaux.

1. Cf. L. Versini, « Bouquins », t. IV, p. 1061-1062.

Une physique du théâtre

Le théâtre mis en question

Théâtres

Siècle par excellence de la vie sociale et de la convivialité, le XVIIIe siècle a été passionné de théâtre. La Comédie-Française, l'Académie royale de musique sont fréquentées assidûment par la bonne société et même par la moins bonne ; ne voit-on pas le Neveu de Rameau courir aux « noces de l'abbé Canaye », lorsque la sonnerie annonce que la représentation de l'opéra va commencer ? La Comédie-Française, fondée par Louis XIV en 1680 était située, pour l'époque qui nous intéresse, rue des Fossés-Saint-Germain, actuelle rue de l'Ancienne-Comédie. Elle s'installera aux Tuileries, salle des machines en 1770, puis à l'Odéon en 1782. Elle possède le monopole du théâtre parlé. L'Académie royale de musique est située au Palais-Royal, à l'angle des rues des Bons-Enfants et Saint-Honoré, au fond d'une impasse (« Cul-de-sac Orry »). Elle souffrit à plusieurs reprises d'incendies. Elle doit se transporter en avril 1763 à la salle des Machines des Tuileries, revient au cul-de-sac Orry en 1770, la salle est de nouveau détruite par le feu en 1781, et l'opéra émigre boulevard Saint-Martin. À ces deux salles officielles, et malgré les privilèges qui limitent les possibilités de création, il faut ajouter le théâtre des Italiens cher à Marivaux, et que Luigi Riccoboni a reconstitué

13

en France en 1716 à l'appel du Régent ; les comédiens italiens après 1721 émigrent à la Foire ; en 1762, ils fusionnent avec l'Opéra-Comique et s'installeront en 1781, salle Favart (boulevard des Italiens). Entre 1750 et 1774, vingt-trois théâtres sont créés en province ; à Paris aussi quelques nouveaux théâtres, en particulier après 1759 ceux des boulevards qui poursuivent la tradition des théâtres de la Foire pour lesquels Lesage et Beaumarchais ne dédaignèrent pas d'écrire des parades et que Diderot n'ignorait pas : il « connaissait les abords de la Foire Saint-Germain, puisqu'il s'est installé rue Taranne vers le début de l'année 1753 »[1]. Le *Plan d'un opéra-comique* est très redevable aux techniques du théâtre de la Foire. Coexistent donc théâtres populaires et théâtres aristocratiques avec des contaminations possibles des deux registres, malgré une esthétique classique encore soucieuse de la séparation des genres. Quantité de théâtres privés contribuent à la vitalité de la création : tout grand seigneur, tout financier désire pouvoir réjouir ses hôtes par un spectacle, les comédiens professionnels sont invités ; le maître de maison et ses convives prennent aussi volontiers des rôles. Voltaire ne se contente pas d'écrire du théâtre, il en joue : à Cirey, à Ferney, et l'usage se maintient encore au XIXe siècle : Benjamin Constant note dans son journal combien Mme de Staël joue le rôle de Phèdre avec talent.

Ce goût du théâtre est formé dès l'enfance. Les jeunes filles jouent des pièces soigneusement écrites pour elles, Mme de Genlis écrira un théâtre qui leur est destiné et n'a malheureusement pas l'éclat d'*Esther* créé aussi pour les pensionnaires de Saint-Cyr ; la médiocrité du théâtre pour jeunes filles peut s'expliquer par les préjugés qui président à leur éducation. Des réactions défavorables devant ce théâtre de pensionnat Diderot les exprimera en janvier 1772, dans une lettre à sa sœur : pièces détestables, exécution médiocre : « Voici mon avis : ou point de tragédie du tout, ni *Édouard*, ni

1. J. Chouillet, « Le théâtre en devenir : les ébauches dramatiques de Diderot », *Diderot et le théâtre*, Comédie-Française, 1984, p. 92.

Athalie, ni aucune autre ; ou s'il y a nécessité de représenter une pièce de théâtre, que ce soit ou l'*Athalie* ou l'*Esther* de Racine.»[1] Les garçons reçoivent en ce domaine, comme en d'autres, une éducation plus solide. Les Pères jésuites qui veulent former des hommes du monde capables d'apprécier le théâtre, organisent des représentations où les élèves jouent ; ils ont su parfois faire appel à des dramaturges et à des musiciens de génie. Leurs élèves ont eu aussi de bonne heure contact avec les grands textes du théâtre antique. Diderot a probablement été l'élève des Jésuites à Louis-le-Grand et il parle du Père Porée comme d'un professeur qu'il a bien connu et dont il apprécie les ouvrages de rhétorique. Le théâtre au collège est essentiellement un exercice de rhétorique et un message de vertu : on ne peut pas dire que Diderot ait oublié cette double fonction. Ce théâtre de collège est jugé favorablement même par ce «professionnel» qu'est Luigi Riccoboni : «Loin de croire que ces pièces sont capables de corrompre les mœurs des jeunes gens qui les jouent, ou de gâter l'esprit des spectateurs, je pense au contraire que c'est un exercice honnête, dont les uns et les autres peuvent retirer une véritable utilité. »[2]

Obstacles

Le théâtre au XVIIIe siècle connaît cependant maintes entraves. Pèse toujours sur lui la vieille condamnation énoncée par Nicole dans son *Traité de la comédie* (1659) ou par Bossuet dans ses *Maximes et réflexions sur la Comédie* (1694). Cette condamnation dont on retrouve des traces dans presque tous les textes sur le théâtre (ainsi dans la préface de l'ouvrage de Riccoboni que nous venons de citer) n'empêche certes pas les bons chrétiens, ou les moins bons,

1. B, t. V, p. 1097.
2. *De la réformation du théâtre,* 1743, p. 66, texte reproduit dans *Diderot et le théâtre,* par A. Ménil, t. I : *Le drame,* Pocket, 1995, p. 298.

15

d'aller au spectacle. Voici par exemple, ce passage, toujours de Riccoboni, qui montre bien les accommodements que l'on peut trouver avec le Ciel : « La passion pour le théâtre va si loin en France, que les mères les plus austères, celles qui évitent avec le plus grand soin le théâtre public et qui par conséquent n'ont garde d'y laisser aller leurs filles, ces mêmes mères assistent, sans aucun scrupule, avec leurs filles aux représentations des comédies de Molière, lorsqu'elles se font dans quelque maison particulière et que les acteurs sont ou des bourgeois, ou des seigneurs : souvent même on les voit applaudir à des parades bien moins châtiées que les comédies en forme. »[1] À plus forte raison, les adultes, hommes et femmes, ne se font pas scrupule de voir les représentations publiques.

Et pourtant, les comédiens ne peuvent toujours pas avoir une sépulture religieuse. Voltaire s'insurge contre cette barbarie lorsque le cadavre d'Adrienne Lecouvreur est jeté à la voirie. Mais sa polémique est sans succès : au mieux, les comédiens peuvent-ils avoir des enterrements clandestins. Les comédiennes, les danseuses, les cantatrices passent pour avoir des mœurs légères, préjugé tenace et en partie seulement fondé ; se faire entretenir par un grand seigneur est un moyen de se lancer. Il est vrai aussi que la situation matérielle des comédiens est précaire et qu'ils peuvent difficilement vivre avec les seules recettes de la scène. En effet, en 1699, Louis XIV avait institué le « droit des pauvres », impôt qui pesait lourdement sur les bénéfices de théâtre (un septième, puis un quart). Il y a cependant une grande part de légende autour des mœurs des comédiennes[2]. Le public méprise et adore l'actrice. L'acteur qui devrait faire passer un message de vertu aurait-il une vie contraire à cette vertu qu'il enseigne ? N'est-ce pas déjà là un de ses paradoxes ? On reportera aux lettres de Diderot à Mlle Jodin[3] intéressantes,

---

1. *De la réformation du théâtre*, p. 62, A. Ménil, *Diderot et le théâtre*, t. I, p. 298.
2. Diderot dans ses lettres à Mlle Jodin lui prodigue les conseils moraux (cf. B, t. V, p. 520-523, 559-560, 562-563).
3. B, t. V, p. 78.

outre les considérations sur le jeu de l'acteur, par les conseils moraux que Diderot lui donne.

Les conditions matérielles des spectacles ne sont pas bonnes, et Diderot ne manque pas de s'en plaindre ; dans une lettre à Mme Riccoboni, du 27 novembre 1758, il s'exclame : « Nos salles sont ridicules ; [...] aussi longtemps qu'elles le seront, que le théâtre sera embarrassé de spectateurs, et que notre décoration sera fausse, il faudra que notre action théâtrale soit mauvaise. »[1] Jusqu'en 1759, des spectateurs sont sur la scène de chaque côté, nuisant à l'illusion théâtrale, gênant le jeu des acteurs : c'est le comte de Lauragais qui rachète 30 000 livres aux comédiens français, le 23 avril 1759, le manque à gagner dû à la suppression de ces places ; Voltaire et Diderot qui avait critiqué cet usage dans les *Entretiens* (p. 1151) s'en félicitent. « Grâces à M. de Lauragais, enfin nous avons quelque chose qui ressemble à un théâtre », écrit-il à Grimm, le 1er mai 1759[2]. Le parterre, plus populaire, reste debout. Il est bruyant, intervient volontiers au cours du spectacle. À en croire Diderot qui le déplore, le public se serait assagi au cours du XVIIIe siècle. Il écrit à Mme Riccoboni, le 27 novembre 1758 : « Il y a quinze ans que nos théâtres étaient des lieux de tumulte. Les têtes les plus froides s'échauffaient en y entrant, et les hommes sensés y partageaient plus ou moins le transport des fous. On entendait d'un côté : "Place au dames" ; d'un autre côté : "Haut les bras, monsieur l'abbé" ; ailleurs : "À bas le chapeau" ; de tous côtés : "Paix là, paix la cabale !" On s'agitait, on se remuait, on se poussait ; l'âme était mise hors d'elle-même. Or je ne connais pas de disposition plus favorable au poète. La pièce commençait avec peine, était souvent interrompue ; mais survenait-il un bel endroit ? C'était un fracas incroyable, les *bis* se redemandaient sans fin ; on s'enthousiasmait de l'auteur, de l'acteur, et de l'actrice. L'engouement passait du parterre à l'amphithéâtre, et de l'amphithéâtre aux loges. »[3]

1. *Ibid.*
2. B, t. V, p. 94.
3. B, t. V, p. 80.

17

La salle de l'Ancienne-Comédie est trop petite, d'une acoustique qui laisse à désirer. La Comédie-Française n'aura enfin qu'en 1782 une salle bien conçue (l'Odéon, rue de Condé) avec des sièges pour le parterre. L'éclairage aux bougies, l'acoustique sont défectueux. On connaît les célèbres lettres de la *Nouvelle Héloïse*[1]. Saint-Preux ridiculise ces représentations où les acteurs sont étouffés par la fumée des chandelles et où les spectateurs dans une salle trop profonde, voient mal la scène, sans compter, pour l'opéra, les difficultés à faire manœuvrer les machines et à faire descendre le *deus ex machina* au bon moment ! En revanche, la salle conçue par Soufflot, à Lyon, conformément aux principes architecturaux des Lumières, qui fut inaugurée en 1756 par Mlle Clairon dans le rôle d'Agrippine, enthousiasme Diderot qui déclare, dans les *Entretiens* : « Je ne demanderais qu'un pareil monument dans la capitale, pour faire éclore une multitude de poèmes, et produire peut-être quelques genres nouveaux » (p. 1151).

Pour ce qui est du texte même, écrivains et public commencent à contester les lois léguées par le siècle précédent et le drame va naître de ce malaise devant la règle d'une séparation rigoureuse entre tragique et comique, devant une observance tatillonne des unités, devant la monotonie de la versification, devant aussi la façon dont les acteurs récitent, figés, faisant encore par là mieux sentir ce que le vers a d'artificiel. La censure sur les représentations a été établie en 1706 ; sur les publications, en 1709 : contrôle moral et politique qui limite strictement les audaces sur les scènes officielles.

Désir de liberté et de réforme

Le théâtre de la Foire (foire Saint-Germain, près de la rue du Four ; foire Saint-Laurent près de l'actuelle gare de

---

1. Seconde partie, lettre XVII, à Julie, sur le théâtre : GF, 1967, p. 181 : « Ils placent les héros de l'Antiquité entre six rangs de Parisiens », et lettre XXIII, Mme d'Orbe sur l'opéra, p. 201 et sq.

l'Est) et le théâtre des Italiens représentent une tradition de liberté. Les persécutions que le Théâtre français fit subir au théâtre de la Foire l'amenèrent à innover. En 1707, interdiction de jouer des dialogues ; en 1710, interdiction même de parler. Qu'à cela ne tienne ; un seul acteur parle pendant que les autres miment et quand plus personne ne peut parler, on chante, on fait chanter le public, ainsi naît l'opéra-comique. Le développement du mime, si cher à Diderot, s'est fait, en grande partie grâce au théâtre de la Foire. La rivalité entre théâtre français et théâtre italien ne cessera guère qu'en 1779. Pendant toute la période qui nous occupe, elle est très vive. Les Philosophes n'ont pas manqué d'exprimer leur tendresse pour le théâtre italien, plus naturel, plus populaire. Les Italiens et l'opéra-comique, tous deux chers aux Philosophes, fusionneront en 1762. Le théâtre italien lui aussi donne une place au mime, et Diderot dans les *Entretiens sur le Fils naturel* fait l'éloge de Nicolini (p. 1185) chef d'une troupe de mimes italiens fort célèbre aux environs de 1760.

Le théâtre au château permet des audaces politiques et esthétiques qui ne seraient pas possibles sur la scène de la Comédie-Française ; ainsi *La Partie de chasse d'Henri IV* de Collé (1766) ne put avoir que des représentations privées du vivant de Louis XV. *Le Mariage de Figaro* sera joué au château de Gennevilliers, devant le comte d'Artois, avant d'être autorisé − non sans difficulté − à être représenté à la Comédie-Française en 1784.

Quand Diderot demande une réforme du théâtre, il a déjà derrière lui de nombreuses tentatives de transformation. Destouches avec ses comédies de caractères, et surtout Landois, ce Landois à qui Diderot envoie une lettre où il affirme son déterminisme matérialiste, l'auteur de *Sylvie ou Le Jaloux* (1741), ont déjà donné des « tragédies bourgeoises ». Marivaux avec *L'École des mères* (1732) écrit un « théâtre de relation », de même dans *La Mère confidente*, et Nivelle de La Chaussée l'imite (*L'École des mères*, 1744). La reprise de *Cénie* de Mme de Graffigny a un grand succès en 1754. À quoi il faut ajouter l'influence de l'Angleterre, de la *domestic tragedy* de Lillo ou de Moore que Diderot adapte[1].

De grands comédiens, et ils abondent en ce siècle (Baron, Mlle Lecouvreur, Mlle Gaussin, Mlle Clairon, Lekain, Talma), ont essayé, eux aussi, d'introduire plus de naturel dans leur jeu, plus de variété dans les costumes, mais le public n'apprécie guère les innovations. Voltaire sait bien qu'il faut les introduire avec prudence et il recommande que le costume chinois de Mlle Clairon soit « assez français pour ne pas exciter le rire »[2].

Il faut réformer le théâtre ou le supprimer

Les textes théoriques ne manquent pas non plus qui réclament des réformes. *La réformation du théâtre* de Luigi Riccoboni, date de 1743. Partant de la condamnation du théâtre par l'Église, Riccoboni qui connaît bien la puissance du théâtre, dénonce, ainsi dans l'analyse qu'il donne du *Cid*, les illusions de la théorie de la catharsis. Bien loin de le mettre en garde contre les dangers de la passion, cette pièce ne fera que surexciter celle du spectateur qui aura tendance à s'assimiler aux personnages. Cependant, comme il n'est pas possible de supprimer le théâtre, il faut « se borner à souhaiter la réformation du spectateur »[3]. Comment opérer cette réforme, et est-elle possible ? Il est plus facile de s'attaquer au répertoire. Les auteurs dramatiques, par exemple, ne devraient jamais parler de l'amour que pour « instruire les spectateurs ; ils pourraient encore joindre à cette passion, devenue instructive, plusieurs autres espèces d'intérêts que la Raison et les devoirs autorisent : ainsi on pourrait traiter

---

1. Cf. L. Versini, B, t. IV, p. 1066-1067, et ici même, *infra,* sur Diderot et le théâtre de Voltaire.
2. Cf. J. Scherer, in *Histoire littéraire de la France,* Éd. sociales, 1975, p. 300.
3. *La réformation du théâtre,* 1743, p. 62, *in* A. Ménil, *Diderot et le théâtre,* t. I, p. 298-299.

des sujets de l'amour conjugal, de l'amour paternel, de l'amour filial, de l'amour de la patrie : voilà les intérêts tendres et vifs, qui seraient nouveaux et très convenables au théâtre »[1]. Ennuyeux programme !

Rousseau dans sa célèbre *Lettre à d'Alembert sur les spectacles,* condamne le théâtre, parce qu'il est le reflet d'une société corrompue. Le spectacle est fait pour un petit groupe très limité auquel il renvoie sa propre image. « On n'y sait plus montrer les hommes, remarque Saint-Preux qu'en habit doré. »[2] Le théâtre ne représente pas le véritable rapport des choses, affirme la *Lettre à d'Alembert* : « Dans le comique, il les diminue et les met au dessous de l'homme ; dans le tragique, il les étend pour les rendre héroïques, et les met au dessus de l'humanité. Ainsi jamais ils ne sont à sa mesure et toujours nous voyons au théâtre d'autres Êtres que nos semblables. »[3] Distance du personnage au spectateur, distance du comédien au personnage : toutes ces distances au contraire sont abolies dans la transparence de la fête ou dans l'art oratoire où l'orateur doit être lui-même à la différence du comédien.

Comme le montre bien Alain Ménil[4], Diderot va récuser les deux propositions que symbolisent le texte de Riccoboni et celui de Rousseau : « Soient pour dessiner l'essentiel d'une alternative que la réflexion de Diderot va récuser, les propositions suivantes : 1 / Parce que l'homme n'est pas réformable, le théâtre doit l'être ; aussi peut-il être réformé, afin de rendre compatibles les exigences morales posées par la religion, et la nécessité politique du spectacle (cf. Riccoboni). 2 / Parce que l'homme est réformable, le théâtre, ne peut pas l'être [...] la perfectibilité humaine exige qu'on renonce en fin de compte à l'une des conséquences immédiates (les arts, le beau et le plaisir esthétique) quand cela est encore

1. *La réformation du théâtre*, p. 27-29, in *Diderot et le théâtre*, t. I, p. 301.
2. *Nouvelle Héloïse*, GF, 1967, p. 180.
3. *Lettre à d'Alembert, O.C.,* Gallimard, « Pléiade », t. V, 1995, p. 25.
4. A. Ménil, *Diderot et le drame*, PUF, 1995, p. 24 et sq.

possible » (cf. Rousseau)[1]. Si ce schéma est éclairant, et s'il est bien vrai que Diderot « récuse » ces deux attitudes, dans le détail, il n'en existe pas moins des points de convergence de ces textes contradictoires. Diderot veut en effet créer un autre répertoire, comme Riccoboni ; il condamne, comme Rousseau, la façon dont la comédie et la tragédie s'écartent également de la réalité, et c'est pourquoi la création d'un « genre moyen » lui semble nécessaire. Mais il est bien vrai que l'attitude radicale de Rousseau face au théâtre est à l'opposé de celle des Encyclopédistes, et ses démêlés avec d'Alembert, auteur de l'article « Genève » auquel répond la *Lettre à d'Alembert*, le prouvent bien.

Cependant on pourra objecter que si le texte de Riccoboni est nettement antérieur au *Fils naturel* et aux *Entretiens*, lorsque Diderot écrit ces deux textes, en août-septembre 1756, chez Lebreton à Massy, Rousseau n'a pas pu encore répondre à l'article « Genève » (t. VII, novembre 1757) par sa *Lettre sur les spectacles*. Elle a paru le 28 septembre 1758. Dans une lettre à Sophie Volland du 25 mai 1759, il la lui envoie avec ces mots : « Voilà, ma tendre et solide amie, l'ouvrage du grand sophiste. Je ne l'ai pas lu. Je ne me sens pas encore l'âme assez tranquille pour en juger sans partialité. Il vaut mieux différer une action, que de se hâter de commettre une injustice. »[2] Est-ce là un moyen de s'excuser du retard avec lequel il la lui envoie ? Il est assez peu vraisemblable qu'il ait attendu si longtemps avant de la lire. En tout cas, on peut penser qu'avant 1757, Rousseau, constant dans ses pensées, jusqu'à l'obsession, avait déjà eu l'occasion d'exposer à son ami Diderot ses idées sur le théâtre. On sait par une lettre de Diderot à Rousseau datée du 10 mars 1757 qu'à cette date, Diderot avait lu le manuscrit des deux premiers livres de la *Nouvelle Héloïse* et par conséquent les lettres de Saint-Preux sur le théâtre. Depuis quand a-t-il ce manuscrit entre le mains ? Mais plutôt

1. A. Ménil, *ibid.*, p. 24.
2. B, t. V, p. 99-100.

que de se perdre dans des questions de datation, contentons-nous de souligner que le théâtre en ces années 1750, aussi bien dans les conversations que dans les textes est en pleine remise en cause.

Sur Térence

Par-delà les querelles autour du théâtre qui sont vives en ce milieu du siècle, Diderot va chercher plus loin ses antécédents, dans sa chère Antiquité, chez Térence auquel il consacrera un essai en 1765. Mais déjà Térence est présent dans les *Entretiens* ; il est cité dans *De la poésie dramatique,* dans le *Salon de 1767,* avec des références à *L'Andrienne,* et dans le *Salon de 1763*[1]. Le *Troisième entretien* résume *L'Hécyre* et argumente : « Je demande dans quel genre est cette pièce. Dans le genre comique ? Il n'y a pas le mot pour rire. Dans le genre tragique ? La terreur, la commisération et les autres grandes passions n'y sont point excitées. Cependant il y a de l'intérêt [...]. Il me semble que ces actions étant les plus communes de la vie, le genre qui les aura pour objet doit être le plus utile et le plus étendu. J'appellerai ce genre *le genre sérieux* » (p. 1165-1166). S'il trouve le père dans *L'Héauton-timoroumenos* peu vraisemblable (p. 1168), Diderot revient à *L'Hécyre* dans *De la poésie dramatique* (p. 1274). Sa fréquentation de Térence, qui doit remonter aux années de collège, est aussi complète qu'elle peut l'être à son époque, compte tenu de l'état des connaissances d'alors sur cet écrivain.

Ce sera en 1765 que sa collaboration avec l'abbé Lemonnier dont il revoit la traduction lui donnera l'occasion d'écrire cet éloge de Térence qui parut, anonyme, dans la *Gazette littéraire de l'Europe* du 15 juillet 1765[2]. Mais, on le voit, il n'a pas attendu cette date pour se pénétrer du théâtre de

1. Voir lettre à Mme Riccoboni, 27 novembre 1758, B, t. V, p. 84 sur *L'Andrienne.*
2. B, t. IV, p. 1353 et sq.

Térence. *Sur Térence* expose systématiquement des thèmes déjà bien présents dans l'esprit de Diderot lorsqu'il compose *Le Fils naturel*. Térence avait d'ailleurs souvent exploité dans ses pièces le thème de l'enfant naturel. Diderot ne manque pas non plus de trouver quelque analogie entre l'incompréhension à laquelle il se heurta pour *Le Fils naturel* et la réception de *L'Hécyre* : « Toutes les comédies de Térence furent applaudies. *L'Hécyre* seule, composée dans un genre particulier, eut moins de succès que les autres » (p. 1357). Diderot proclame l'universalité de Térence : « Quel est l'homme de lettres qui n'ait pas lu cent fois son Térence, et qui ne le sache presque par cœur ? Qui est-ce qui n'a pas été frappé de la vérité de ses caractères et de l'élégance de sa diction ? » (p. 1358). Il conseille : « Jeunes poètes, je vous invite à feuilleter alternativement Molière et Térence. Apprenez de l'un à dessiner et de l'autre à peindre. [...] Si vous avez des amants à peindre, descendez en vous-même, ou lisez *L'Esclave africain*. Écoutez Phédria dans *L'Eunuque*, et soyez à jamais dégoûté de toutes ces galanteries misérables et froides qui défigurent la plupart de nos pièces » (p. 1360-1361).

Le Fils naturel :
clichés et renouveau

Le Fils naturel et les *Entretiens* ont paru ensemble en février 1757, avec la mention d'Amsterdam, alors qu'ils avaient été imprimés à Massy, chez Lebreton – méthode fréquente à cette époque, même quand il ne s'agit pas de textes qui attaquent directement le pouvoir. Diderot a tenu dans cette double édition à ne pas dissocier pratique et théorie, et, même si les *Entretiens* nous semblent parfois plus audacieux que la pièce elle-même, on ne saurait les séparer ; d'ailleurs la représentation avant l'impression qui est d'usage au théâtre, avait été rendue impossible par une cabale organisée par Choiseul et dont les antiphilosophes – Fréron (*Année littéraire,* juillet 1757) et Palissot (*Petites Lettres sur les grands philosophes,* novembre 1757) – avaient profité pour attaquer le directeur de l'*Encyclopédie*. On accuse Diderot d'avoir plagié *Il vero amico* de Goldoni. À vrai dire, l'accusation sent le prétexte, car la notion de plagiat à cette époque est floue, surtout au théâtre et que dans la pièce de Goldoni, il n'y avait pas de fils naturel. En décembre 1758 - janvier 1759, Deleyre publiera la traduction de deux pièces de Goldoni, *Il vero amico* et *Il padre di famiglia* pour disculper Diderot. Certes il existe des thèmes communs entre ces pièces, mais ils appartiennent au fond habituel du théâtre du XVIIIe siècle ; Diderot – nous allons le montrer – a fait œuvre originale à partir de clichés. Dans *De la poésie dramatique,* il s'expliquera clairement : « Charles Goldoni a écrit en italien une comédie, ou plutôt une farce en trois actes, qu'il a intitulée *L'Ami sincère*. C'est un tissu des caractères de *L'Ami vrai* et de *L'Avare* de Molière. La cassette et le vol y sont ; et la moitié des scènes se passent dans la maison d'un père avare. / Je laissai là toute cette portion de l'intrigue, car je n'ai, dans *Le Fils naturel*, ni avare, ni père, ni vol, ni cassette. / Je crus que l'on pouvait faire quelque chose de supportable de l'autre portion ; et je m'en emparai comme d'un bien qui m'eût appartenu. Goldoni n'avait pas été plus scrupuleux ; il s'était emparé de *L'Avare*, sans que personne se fût avisé de le trouver mauvais ; et l'on n'avait point imaginé parmi nous d'accuser Molière ou Corneille de plagiat, pour avoir emprunté tacitement l'idée de quelque pièce, ou d'un auteur italien, ou du théâtre espagnol » (p. 1303) ; sur la question des concordances avec Goldoni, on se reportera à l'excellente édition, trop rarement citée, de Valeria Tasca qui donne aussi une reproduction de l'édition originale[1].

La pièce de Diderot fut d'abord représentée sur une scène privée, chez Louis de Noailles, duc d'Ayen, à Saint-Germain en 1757. Nous avons dit plus haut que le théâtre au château permettait plus d'audace, nous verrons aussi que la fiction même qui entoure la pièce, la prédestine à une représentation dans un salon : une démonstration convaincante en fut donnée à Aix-en-Provence, en 1984, lors du Colloque *Diderot, les beaux-arts et la musique*, où elle fut représentée (par Pierre Voltz) avec un grand succès dans un hôtel particulier[2]. Jouée à Vienne en février 1771 – les pays germaniques furent plus accueillants que la France à l'œuvre de Diderot –

---

1. *Le Fils naturel*, introduction et notes de V. Tasca, p. X : « Du premier monologue de Dorval (I, 1) jusqu'au malentendu de la lettre (III, 3), les scènes s'enchaînent de la même façon que dans la scène italienne. Brusquement, à partir du moment où Rosalie découvre entre Dorval et Constance un amour qu'elle croit partagé, il devient impossible de superposer les deux canevas. »
2. Voir P. Voltz, « À propos d'une représentation du *Fils naturel* à Aix », *Diderot, les beaux-arts et la musique*, Univ. d'Aix-en-Provence, 1986.

elle ne fut jouée à la Comédie-Française que le 26 septembre 1771, et vite retirée en raison des objections faites par les acteurs et malgré un public favorable.

La tradition

La pièce proprement dite présente bien des aspects traditionnels. Deux couples et un des partenaires qui hésite et crée un déséquilibre provoquant l'action : c'est un lieu commun, largement exploité par Marivaux. Dorval qui finalement épousera Constance, la sœur de Clairville, est amoureux de Rosalie qui est destinée à son ami Clairville. Raffinement cruel de l'intrigue qui n'a rien d'original : Clairville qui, dans son inconscience, ne comprend pas le changement d'attitude de Rosalie, demande à Dorval de plaider auprès d'elle en sa faveur ; l'ami magnanime accomplit, la mort dans l'âme, cette mission douloureuse. Bien traditionnel également le quiproquo, lorsque Constance croit que la lettre de Dorval lui est adressée, alors qu'elle était destinée à Rosalie (p. 1100) : cruautés ordinaires du théâtre et parfois de la vie. Le thème de l'amitié héroïque répond certainement à un sentiment profond chez Diderot (on le voit dans ses relations avec Rousseau, avec Grimm), mais il n'empêche qu'il envahit la littérature du XVIIIᵉ siècle et que Diderot n'est pas tout à fait un précurseur[1].

Diderot ne renonce pas aux fameuses unités du théâtre classique. Il est peu vraisemblable que tant d'événements se produisent dans la même journée, et les *Entretiens* reviendront sur ce point. Cependant *Le Fils naturel* commence aux aurores, pour satisfaire à cette vieille exigence de l'unité de temps : « L'action commence avec le jour. » L'unité de lieu est soulignée également : l'action « se passe dans un salon de la maison de Clairville » (p. 1083), c'est dans ce

1. On se reportera à l'ouvrage devenu classique de R. Mauzi, *L'idée de bonheur au XVIIIᵉ siècle*, A. Colin, 1960, Slatkine Reprints, 1979.

salon qu'André viendra faire son récit, et que le père devra apparaître.

Autre convention du théâtre classique, les confidents, valets et suivantes ; là encore, Diderot ne bouscule pas la tradition. Dorval a un valet, Charles ; Rosalie a une suivante, Justine ; ils sont au courant des sentiments de leurs maîtres : ils servent de réceptacle nécessaire aux pensées des protagonistes. Ils s'intéressent fort à l'action, représentent la voix de la raison et des objections que les personnages se font dans leur for intérieur : ainsi quand Charles apprend que Dorval a décidé de partir : « Que dira Clairville votre ami ? Constance, sa sœur, qui n'a rien négligé pour vous faire aimer ce séjour ? » (p. 1085) : rien que de très traditionnel dans ce rôle.

Le coup de théâtre et la scène de reconnaissance qui terminent la pièce font partie des clichés du roman et davantage encore du théâtre. Ils sont devenus si usés que Beaumarchais, quelques années plus tard, les ridiculisera dans *Le Mariage de Figaro,* lorsque Figaro apprend qu'il est le fils de Marceline et de Bartholo, et qu'il a, lui aussi, évité de justesse l'inceste, puisque Marceline voulait l'épouser. Je ne crois pas que dans cette scène burlesque Beaumarchais vise en particulier *Le Fils naturel,* mais il s'amuse d'une facilité théâtrale éculée et qui l'est aussi dans l'opéra et l'opéra-comique. Aussi Mozart - Da Ponte reprennent-ils, de façon éblouissante, le comique de la scène de reconnaissance dans les *Nozze* : *« Su padre, su madre »* : la musique dit mieux encore que le texte à quel point la scène de reconnaissance est devenue ridicule.

Les discours moralisateurs de Dorval nous semblent bien convenus ; ils l'étaient probablement moins en 1757. Il n'empêche : la tirade de Dorval (acte V, scène 3) est longue lorsqu'il développe ce qui – il faut bien en convenir – est un lieu commun : « La conscience d'une mauvaise action est la plus fâcheuse de toutes les idées » ; vivre avec le remords est intolérable, etc. (p. 1121). Pour avoir été développé par les moralistes dès l'Antiquité, le thème n'en est pas plus excitant et le lecteur se prend à souhaiter que Dorval ait l'occasion de rencontrer le neveu de Rameau ou le père Hudson, plutôt que d'avoir pour interlocutrice Rosalie qui se laisse convaincre un peu trop facilement à notre goût. Les clichés vertueux entraînent les formules stylistiquement usées, Lysimond ne peut être qu'un « honnête vieillard » (p. 1103), avec l'antéposition de l'adjectif qui fait mieux sentir comment le thème de la vertu et le néo-classicisme se trouvent alors complémentaires et complices.

La pièce n'ignore pas les lenteurs des tirades contre lesquelles pourtant s'insurge Diderot, et la mélancolie de Dorval se traduit volontiers dans les monologues, forme de tirade particulièrement difficile à gérer ; on sait quelles seront les inquiétudes de Beaumarchais pour la tirade pourtant si réussie de Figaro : encore la tirade-récit comporte-t-elle moins d'écueil que le monologue de sentiments. Diderot pratique le monologue délibératif avec sa construction adversative, qui se situe bien dans la tradition des stances que le théâtre classique avait fini par abandonner ; le style même rappelle cette forme littéraire : « Chers et barbares devoirs ! », s'exclame Dorval (p. 1107), partagé entre l'amour et la vertu.

On pourrait relever bien d'autres marques de fidélité à la tradition du théâtre classique, ou à d'autres traditions ; par exemple le récit d'André collectionne les clichés du roman de navigation (p. 1104), que l'on retrouvera encore comme aliment des intrigues des romans de Stevenson ou de Somerset Maugham : rencontre de bateaux ennemis, emprisonnement, hasards merveilleux qui permettent la délivrance, etc. Clichés romanesques, clichés théâtraux se conjuguent au point qu'on en vient à faire deux remarques, l'une d'ordre historique, l'autre d'ordre esthétique. En 1757, tous ces thèmes sont loin d'être originaux, ils sont cependant moins usés que quelques années plus tard : Diderot contribue à en faire des clichés. D'autre part, on s'interrogera sur l'utilité esthétique des clichés, sur la difficile limite entre le sérieux et la parodie, sur la distance ironique : mais nous y reviendrons.

Écrite en pleine période de combat philosophique, *Le Fils naturel* se fait l'écho de thèmes essentiels à ce combat, sans pour autant que l'on puisse vraiment parler de pièce à thèse. Constance est une belle figure de femme des Lumières ; elle prononce un péan de triomphe en commentaire à deux vers du *Poème sur la loi naturelle* de Voltaire qu'elle cite : « Je connais les maux que le fanatisme a causés, et ceux qu'il faut en craindre [...]. Il y a sans doute encore des barbares ; et quand n'y en aura-t-il plus ? Mais les temps de barbarie sont passés. Le siècle s'est éclairé. La raison s'est épurée » (p. 1114). Les images qu'elle emploie pour décrire ce fanatisme qui d'après elle appartiendrait définitivement au passé, sont celles même de l'article « Fanatisme » de l'*Encyclopédie* : « ténèbres », terre « arrosée de sang », « poignard », « monstre », « fureur ». Dorval est moins optimiste : y aurait-il des préjugés inhérents à l'angoisse métaphysique provenant de la condition humaine ? À supposer que l'on arrive, grâce à l'éducation, à écarter le vice des hommes : « Comment écarterez-vous d'eux la terreur et les préjugés qui les attendent à l'entrée dans ce monde, et qui les suivront jusqu'au tombeau ? La folie et la misère de l'homme m'épouvantent » (p. 1114) s'écrie Dorval avec un accent quelque peu augustinien ou pascalien. La Providence ? Dorval commente ironiquement le naïf récit d'André qui invoque la « bonté du ciel » : « *Bas, à part, et avec amertume.* Qui le faisait mourir dans le fond d'un cachot, sur les haillons de son valet » (p. 1105).

Ce sont vraisemblablement les attaques contre les préjugés religieux qui avaient alarmé le frère de l'écrivain, Didier-Pierre, et par ricochet, leur père. Ils ont aussi été alarmés par la cabale qui s'organise autour de l'*Encyclopédie*. D'où cet étrange billet, du 29 novembre 1757, de Diderot à son père, où il fait la promesse, heureusement non tenue, d'être toujours respectueux des idées reçues : « Monsieur et cher Père, Je suis bien fâché d'avoir fait quelque chose qui vous ait déplu ; mais ne vous en rapportez pas trop à ceux qui vous environnent. On grossit les objets et l'on réussit de cette manière à vous tourmenter et moi aussi. Qu'y puis-je faire, si ce n'est de prendre à l'avenir de telles précautions que la méchanceté, le mauvais esprit, le scrupule même ne puissent trouver à redire à ce que je ferai. C'est ce que je vous promets. »[1]

Plus précisément, *Le Fils naturel* part en guerre contre un certain nombre de préjugés. Et d'abord, comme le titre le laisse prévoir, celui de la bâtardise, thème développé également dans *La Religieuse* ; mais les deux cas sont différents, et l'œuvre de Diderot souligne cette différence, puisque dans le roman, Suzanne est une fille adultérine de sa mère, tandis que Dorval est un fils naturel de son père. Voici comment il raconte ce qui est un véritable roman sensible, l'histoire de la jeunesse de Lysimond : « Sachez donc qu'à peine ai-je connu ma mère. Une jeune infortunée, trop tendre, trop sensible, me donna la vie, et mourut peu de temps après. Ses parents, irrités et puissants, avaient forcé mon père de passer aux Îles. Il y apprit la mort de ma mère, au moment où il pouvait se flatter de devenir son époux. Privé de cet espoir, il s'y fixa ; mais il n'oublia point l'enfant qu'il avait eu d'une femme chérie. Constance, je suis cet enfant. » Histoire touchante, certes, et qui a de quoi attendrir Constance : elle ne partage pas les préjugés, tandis que « aux yeux des hommes », la naissance d'un enfant naturel est « abjecte » (p. 1115). Cette absence de préjugé devient l'enjeu même de la véracité de l'amour de Constance : « Si Constance était capable de ce préjugé, j'ose le dire, elle ne serait pas digne de moi » (p. 1101). « L'amour est sans préjugé » (p. 1117).

Autre préjugé que l'amour va détruire : celui qui empêche les hommes de la noblesse d'exercer un métier

---

1. B, t. V, p. 69. Voir « Didier Diderot lecteur de Denis : ses réflexions sur *Le Fils naturel* », prés. par L. Pérol, *Recherches sur Diderot et l'Encyclopédie*, octobre 1991.

lucratif. Clairville, à un moment où il se croit ruiné, est décidé à entreprendre un commerce et voilà une bonne occasion de faire l'éloge de cette activité réhabilitée par les Philosophes : « Le commerce est presque le seul [état] où les grandes fortunes soient proportionnées au travail, à l'industrie, aux dangers qui les rendent honnêtes. Je commercerai, vous dis-je » (p. 1117). Ce qui n'empêche pas Clairville de partir en guerre contre un autre préjugé, qui, lui, a été largement orchestré (surtout dans la première moitié du XVIIIe siècle) par Voltaire et par les Lumières, l'anglomanie. Après le récit des souffrances éprouvées par Lysimond et André prisonniers des Anglais, Clairville s'écrie : « Voilà donc ces peuples dont on nous vante la sagesse, qu'on nous propose sans cesse pour modèles ! C'est ainsi qu'ils traitent les hommes ! » (p. 1104). Dorval propose une explication historique : « Combien l'esprit de cette nation généreuse a changé ! » Ce ne sont plus des Anglais libéraux et riches commerçants vantés dans les *Lettres philosophiques* (1734), ce sont les Anglais de la guerre de Sept ans dont il s'agit ici[1]. L'épisode pathétique, nécessaire au déroulement du drame, n'ira donc pas ostensiblement contre Voltaire : il n'empêche Diderot n'a jamais partagé son anglomanie (on se reportera aussi aux lettres où Diderot se fait l'écho du voyage de d'Holbach en Angleterre).

Le pathos

Alors que Clairville, dans son éloge du commerce, Constance, quand elle chante la fin du fanatisme, sont bien conformes au versant optimiste des Lumières, Dorval représenterait une constante interrogation sur l'authenticité de cet idéal d'humanisme sociable qu'elles préconisent. Constance annonce « l'homme de bien est dans la société », et elle

---

1. Pendant la guerre de Sept ans (1756-1763), la Grande-Bretagne et la Prusse combattent contre la France et l'Autriche.

ajoute cette phrase où Rousseau[1] va sentir une attaque directe : « Il n'y a que le méchant qui soit seul » (p. 1113). Dorval ne fait certes pas partie des « méchants » ; il prouve son dévouement héroïque dans l'amitié, forme extrême de sociabilité. Or Dorval est un héros solitaire. « Abandonné presque en naissant entre le désert et la société, quand j'ouvris les yeux afin de reconnaître les liens qui pouvaient m'attacher aux hommes, à peine en retrouvai-je des débris. Il y avait trente ans, madame, que j'errais parmi eux, isolé, inconnu, négligé, sans avoir éprouvé la tendresse de personne, ni rencontré personne qui recherchât la mienne, lorsque votre frère vint à moi » (p. 1112) : la solitude de Dorval aurait été la conséquence de cet injuste préjugé contre la bâtardise, mais aussi de son tempérament « mélancolique ».

Héros « sombre et mélancolique » (p. 1111, cf. p. 1081), il nous semble déjà romantique, lui qui, tel le héros de Hugo, porte malheur à tout ce qui l'entoure : « Le malheur me suit, et se répand sur tout ce qui m'approche » (p. 1113). Dorval est ce que la médecine moderne appellerait cyclothymique, il connaît des états extrêmes, c'est un être d'enthousiasme. « Il était triste dans sa conversation et dans son maintien, à moins qu'il ne parlât de la vertu, ou qu'il n'éprouvât les transports qu'elle cause à ceux qui en sont fermement épris. Alors vous eussiez dit qu'il se transfigurait » (p. 1081).

À ce tournant du siècle, l'éloge de la vertu, semble-t-il, ne peut se faire que sur le mode de l'excès, du pathos. Une esthétique de l'outrance est mise à son service ; l'attendrissement vertueux fait partie de cette évolution de la sensibilité et des mœurs au XVIIIᵉ siècle ; « un peuple qui vient s'attendrir tous les jours sur la vertu malheureuse ne peut être ni méchant, ni farouche » (p. 1114-1115). – À vrai dire la Terreur prouvera le contraire ! – La sensibilité devient la preuve de la vertu. Esthétique et éthique convergent dans un pathos qui est peut-être ce qui, par rapport aux lecteurs

---

1. Rousseau explique longuement dans le livre IX des *Confessions* pourquoi cette phrase l'a blessé (Éd. Pléiade, t. I, p. 455).

modernes, a le plus vieilli. Le geste et la parole sont extrêmes, les larmes coulent en abondance sur la scène – mais on
sait qu'elles coulaient aussi volontiers dans la salle à cette
époque[1].

Représenter le réel

Cette esthétique de l'excès, et cela aussi est très caractéristique de l'évolution de la littérature et des sensibilités,
s'accompagne d'un désir de réalisme ; on a pu voir là l'autre
versant de cette littérature bourgeoise, conséquence de
l'ascension de la classe moyenne au cours du XVIIIᵉ siècle.
L'exaltation des grands sentiments ne laisse pas dans
l'ombre les problèmes d'argent, bien au contraire, ils sont
l'occasion de cette exaltation. Dorval sacrifie sa fortune. Les
enfants de Lysimond font preuve de grandeur d'âme en ne
se laissant pas abattre par les vicissitudes du sort qui les fait
tantôt riches, tantôt pauvres, tantôt à nouveau riches. Lysimond est attendrissant dans la scène de reconnaissance, certes, mais il n'oublie pas d'annoncer : « Je vous laisse une
grande fortune » (p. 1124) – fortune peut-être suspecte, dans
la mesure où elle a été faite « aux Îles », mais la provenance
exacte de cet argent n'est pas trop précisée ; l'anticolonialisme de Diderot se marquera davantage dans les œuvres
ultérieures et dans sa participation à l'*Histoire des deux Indes*[2].
Réalisme également dans la mise en scène et dans les costumes ; conformément à l'idéologie et à l'esthétique du
drame, il s'agit de représenter la vie de bourgeois (ici plutôt
de la petite noblesse) et donc dans les costumes de tous les
jours, dans le décor de la vie quotidienne ; si l'on sort de
cette vie quotidienne, dans l'exceptionnel lui-même, le réa-

1. Cf. A. Coudreuse, *Le goût des larmes au XVIIIᵉ siècle,* PUF, 1999.
2. L'anticolonialisme de Diderot est allé croissant jusqu'à l'*Histoire des
deux Indes,* cf. Y. Benot, *Diderot, de l'athéisme à l'anticolonialisme,* Maspero,
1970.

lisme devra aussi être observé. Ainsi lorsque André et Lysimond arrivent, ils devront porter les costumes de prisonniers : ils ont été conservés pour pouvoir servir à la représentation (p. 1082).

L'irreprésentable

Il est cependant des limites à la représentation, et c'est peut-être en cela surtout que la pièce est intéressante, lorsqu'elle échoue à reproduire exactement la vie, et surtout la mort. La représentation de la pièce ne peut s'achever : lorsqu'apparaît sur la scène l'acteur qui joue le rôle de Lysimond, mort depuis, toute la famille est suffoquée par l'émotion et devient incapable de jouer : le théâtre ne peut être la réalité. On a parfois souligné des contradictions ou du moins des évolutions, entre les théories des *Entretiens* et du *Paradoxe*. En fait, *Le Fils naturel,* comme le *Paradoxe* sont des démonstrations de la nécessité d'une distanciation : les comédiens ne peuvent être les individus qui ont vécu drame. Alors que l'acte V, scène 5 présente une banale histoire de reconnaissance, l'épilogue dénonce le cliché, dans la mesure où il nous apprend que cette scène n'a pu être jouée.

Prologue et épilogue

Ces deux textes qui encadrent la pièce proprement dite lui donnent, à eux seuls, tout son intérêt, toute sa dimension, ils établissent une distance ironique à l'endroit de tous ces clichés qu'elle semble avoir accumulés à plaisir, en créant un effet de théâtre à l'intérieur du théâtre, ils créent une perspective nouvelle. Non que le procédé du théâtre à l'intérieur du théâtre soit véritablement nouveau : le théâtre baroque en a beaucoup usé, tandis que le théâtre classique a eu tendance à le réprouver comme contraire aux unités. Le premier Corneille en présente un spécimen particulièrement réussi avec

L'Illusion comique (1636) où apparaît comme dans *Le Fils naturel* ce thème du théâtre susceptible de faire revivre les morts, mais assez différemment : c'est le père qui croit que son fils est mort ; grâce à un magicien, il apprend qu'il ne l'est pas et qu'il est devenu comédien : il n'empêche que le réseau thématique vie-mort-magie du théâtre est bien là.

Plus près de Diderot on pourrait citer Marivaux et ses *Acteurs de bonne foi*. Profitant de la liberté que lui laisse le théâtre des Italiens, Marivaux met en scène des paysans qui veulent organiser une représentation en l'honneur de leur châtelaine, mais sont incapables de conserver cette distanciation nécessaire entre la vie et la réalité. Il n'y a pas eu influence des *Acteurs de bonne foi* sur *Le Fils naturel*, puisque la pièce de Marivaux est de 1757, ni l'inverse, puisque *Le Fils naturel* ne fut pas joué alors et que lorsqu'il est publié, la pièce de Marivaux est probablement déjà composée. Il faut donc voir là de ces curieuses concordances qui résultent d'une même interrogation, au même moment, sur le théâtre et la vie, sur la situation de l'acteur, par deux dramaturges de génie.

Ce qui transforme véritablement *Le Fils naturel*, ce sont donc les deux textes qui se situent en quelque sorte en dehors de la pièce et que l'on pourrait ranger dans la catégorie qu'Aristote appelle « parties d'extension », par opposition aux « parties intégrales », distinction que Corneille reprend dans son *Discours de l'utilité et des parties du poème dramatique*[1]. Ils s'apparenteraient, tout en s'en écartant par d'autres aspects, aux prologues et aux conclusions ou moralités *in fine*. Le théâtre médiéval les avait beaucoup pratiquées, mais c'est du théâtre antique qu'il connaît mieux, que Diderot se réclame. Dans le *Discours sur la poésie dramatique*, après s'être justifié du reproche d'avoir plagié Goldoni, il écrit : « Puisqu'on n'a pas dédaigné de m'adresser les mêmes reproches que certaines gens faisaient autrefois à Térence, je

---

1. Cf. P. Corneille, *Discours de l'utilité et des parties du poème dramatique*, in *Trois Discours sur le poème dramatique*, GF, 1999, p. 71.

renverrai mes censeurs aux prologues de ce poète [...]. La nature m'a donné le goût de la simplicité, et je tâche de le perfectionner par la lecture des Anciens. Voilà mon secret. Celui qui lirait Homère avec un peu de génie, y découvrirait bien plus sûrement la source où je puise » (B, t. IV, p. 1304). Le renvoi à Homère ne se limite certes pas à la question du prologue, cependant le genre épique dont Homère demeure l'incontestable modèle européen, pratique aussi le prologue où le poète se met en scène pour annoncer son chant. Virgile continue cette tradition : « Arma virumque cano... »

Diderot aime les prologues, et ce goût, comme les autres, chez lui est constant. Ainsi sa dernière pièce, et peut-être sa meilleure, *Est-il bon ? Est-il méchant ?* connaît deux états antérieurs au texte que la mort rendra définitif : après le *Plan d'un divertissement* – une version devenue extrêmement rare (on en connaît deux exemplaires), que l'édition « Bouquins » ne reproduit pas, mais dont tient compte l'édition critique par J. Undank[1] –, *La pièce et le prologue ou Celui qui les sert tous et qui n'en contente aucun.* « Diderot excelle, écrit J. Undank [...] dans l'art des boîtes et des emboîtements, art aussi ancien que la géométrie projective de la Renaissance, amené à la perfection par la littérature et la peinture baroques, puis parodié et parfois déconstruit de façon fantasmagorique par des écrivains du XVIIIᵉ siècle tels que Marivaux, l'abbé Prévost, et Crébillon dans des perspectives propres à chacun. »[2] Ce goût pour les emboîtements se retrouve dans toute l'œuvre de Diderot. *Jacques le Fataliste* le porte à son plus haut sommet, et peut-être le roman, libre de toutes les contraintes de la mise en scène, permet-il une virtuosité plus grande encore que le théâtre.

Les textes qui entourent *Le Fils naturel* font bien sentir quelles parentés ce genre d'emboîtement établit entre théâtre et roman ; ces deux textes en effet appartiennent davantage

1. J. Undank, *Studies on Voltaire*, 1961.
2. J. Undank, « La boîte ouverte et fermée de *Est-il bon ? Est-il méchant ?* », *Diderot et le théâtre*, Comédie-Française, 1984, p. 66.

au registre du romanesque, et en cela ils sont révélateurs d'une tendance du drame que nous soulignerons aussi à propos des didascalies, et que nous avons étudiée chez Beaumarchais[1] : le drame tend à s'apparenter au roman, non seulement parce qu'il recourt à la prose, mais, plus subtilement, parce qu'il veut créer un « autour » du moment théâtral proprement dit, qu'il crée une durée, explique, situe.

Le prologue établit aussi une parenté avec l'autobiographie : qu'il soit le fait de l'aède qui récite, ou du poète qui compose – ce qui dans les temps anciens se confond –, le présentateur dit « je ». Ici, cette réalité du « je » est encore renforcée par des références à la réalité historique : « Le sixième volume de l'*Encyclopédie* venait de paraître ; et j'étais allé chercher à la campagne du repos et de la santé » (p. 1081) : effectivement, Diderot après la parution du sixième volume, va chez Lebreton à Massy, à l'automne 1756. L'autobiographe se situe sur le registre, non de la fiction, mais de la vérité, ce que Rousseau ne tardera pas à affirmer avec véhémence ; le prologue permet à Diderot cet effet de réel qu'il aime aussi exhiber dans ses textes romanesques : il raconterait une histoire vraie et qui lui serait arrivée. « ... lorsqu'un événement, non moins intéressant par les circonstances que par les personnes, devint l'étonnement et l'entretien du canton » (p. 1081) : la rumeur publique est là pour renforcer le témoignage du narrateur. L'événementiel est susceptible de devenir théâtre, d'autant qu'il se concentre en un laps de temps limité (« dans un même jour »), et de se détacher de cette durée indéterminée du repos à la campagne que le roman ou l'autobiographie (on se souvient du « J'étais heureux » au livre VI des *Confessions*) seraient davantage capables d'évoquer. Cependant le narrateur tient à vérifier par ses propres moyens ce que lui avait annoncé la rumeur publique : cet « homme rare » qui avait exposé sa vie pour son ami et lui avait sacrifié « sa passion, sa fortune, sa liberté », il veut le connaître. « Je le connus, et je le trouvai tel

1. B. Didier, *Beaumarchais ou la passion du drame*, PUF, 1994.

qu'on me l'avait peint, sombre et mélancolique. » Suit alors une description de Dorval qui, là encore, est du registre du roman : au théâtre, le spectateur voit et n'a nul besoin qu'on lui décrive personnages ni décors. La caractérisation de Dorval s'opère par une métaphore atmosphérique (« comme on voit le soir, en automne... », p. 1081) qui relève de la prose poétique, plus facile à introduire dans le roman que dans le théâtre.

Effet de miroir : ce « je » qui était Diderot directeur de l'*Encyclopédie,* va découvrir une ressemblance profonde avec Dorval, autre manifestation du « Moi » ; l'amitié qui se déclare entre eux, avec une rapidité surprenante, devient une figure de l'immédiateté du miroir. Diderot suggère à Dorval d'écrire l'histoire qu'il vient de lui raconter : « Il me raconta son histoire », version purement romanesque et non théâtralisée, que le lecteur ne lit pas et qu'il pourra reconstituer par lui-même à partir du texte théâtral. « Moi » s'identifie à « Dorval », sommé d'être dramaturge, mais – et cela peut sembler plus troublant – par la volonté d'un mort qui joue un rôle capital, le père de Dorval : « Vous avez eu la même pensée que mon père » (p. 1082).

La fonction de ce théâtre, proposé par le père, réalisé par Dorval, écrit par Diderot, est alors clairement définie, et cette définition nous ramène aux origines les plus anciennes du théâtre, à la création des rites. La représentation aura un rôle commémoratif : il s'agit « de conserver la mémoire d'un événement qui nous touche, et de le rendre comme il s'est passé » (p. 1082). La commémoration devrait être sans fin, puisque précisément elle est faite pour perpétuer la mémoire : « Nous le renouvellerions nous-mêmes tous les ans. » Rite annuel, saisonnier, comme tous les grands rites, comme les rites dionysiaques, à l'origine du théâtre, il fait plus que commémorer, il « renouvelle » par une sorte de force sacramentelle : de même pour les catholiques, la messe est plus qu'une simple commémoration de la Cène, chaque fois, le pain et le vin redeviennent, comme au premier jour, la chair et le sang du Christ.

Fol espoir d'échapper au temps et à la mort par le théâtre ? « Je me survivrais à moi-même, et j'irais converser ainsi, d'âge en âge, avec tous mes neveux » (p. 1082), avait dit le père : mais la représentation n'a pas pu avoir lieu ; le vieillard qui s'était promis de jouer son propre rôle, au moins, pour la première représentation, est mort trop tôt, et l'émotion des enfants est telle, qu'ils ne peuvent accomplir le rite jusqu'au bout. Cependant l'écrit demeure, la dernière scène irreprésentable a été écrite, et Diderot nous en donne le texte : l'écrit dépasse la représentation : peut-être est-ce là l'image du destin même de la pièce de Diderot qu'il doit confier à l'éditeur, avant d'avoir pu la faire jouer, et qui, par la suite, sera plus souvent lue que jouée.

L'inceste

Le thème de la pièce se situe dans le cadre de la famille restreinte que la bourgeoisie, ou la petite noblesse, est en train d'imposer et qui est si favorable aux troubles qu'analysera Freud. Mais le drame familial n'a pas attendu la psychanalyse pour exister ; la famille est pathogène et pour cette raison merveilleusement féconde en sujets d'œuvres d'art. L'inceste figure bien son repliement sur elle-même, et il est vrai que le thème est particulièrement actif dans la littérature de la fin du XVIIIᵉ siècle ; mais il était déjà le sujet même du théâtre grec, à l'époque de la grande famille et des gynécées. On ne saurait donc expliquer la présence de l'inceste comme sujet privilégié du théâtre, par la seule situation de la famille dans la deuxième moitié du XVIIIᵉ siècle. Si l'on veut établir un rapport entre repliement et inceste, il faudrait davantage le chercher dans le resserrement qu'implique la scène théâtrale elle-même qui ne saurait englober la vaste population que peuvent accueillir l'épopée ou le roman.

La représentation aura-t-elle cette fonction cathartique analysée non sans ambiguïté par Aristote, et reprise à l'envi par les théoriciens du théâtre ? On pourra être assez sceptique sur ce pouvoir de purification : le père aurait dit : « Plus je la [Rosalie] vois, plus je la trouve honnête et belle, plus ce danger [de l'inceste] me paraît grand » : la vue répétée ne semble que renforcer le danger, et suggère que le père lui-même y serait sensible pour son propre compte.

L'inceste est le sujet privilégié du théâtre ; mais alors que chez Sophocle il était accompli, et si bien qu'en étaient nés des enfants, à leur tour sujets de tragédies, le théâtre classique français privilégierait des formes plus atténuées où l'inceste est représenté comme un risque, comme une tentation non réalisés ; il s'agit, d'autre part, d'incestes moins fortement réprouvés que celui de l'homme avec sa mère, entre tous honni, puisqu'il remet en cause la succession des générations et le pouvoir du père, donc l'ordre familial traditionnel. Phèdre n'est pas la mère d'Hippolyte, elle n'a pas de sang commun avec lui (et l'on a pu juger que le terme d'inceste ne convenait pas dans son cas) ; elle se tue plutôt que de céder à la tentation à laquelle d'ailleurs Hipppolyte ne se prêtait pas, tandis que dans la tragédie de Sophocle, Jocaste, la mère d'Œdipe, était largement consentante, sinon complice dans la mesure où elle fait tout ce qu'elle peut pour écarter la révélation de la vérité et donc pour permettre la prolongation du *statu quo.* Dans *Le Fils naturel,* l'inceste qui n'est que de frère à sœur, donc moins réprouvé, n'est pas réalisé : bien plus, Dorval et Rosalie avaient renoncé à leur union, avant même de savoir qu'elle aurait pu être incestueuse, avant la scène de reconnaissance, par respect pour l'amitié, en ce qui concerne Dorval, et pour la parole donnée, dans le cas de Rosalie, donc en fonction d'interdits beaucoup moins forts que celui de l'inceste. L'inceste s'estompe au profit du thème bénin de l'amitié.

L'obsession du père

Ce qui rattache *Le Fils naturel* cependant au grand théâtre de la culpabilité familiale, c'est la présence obsédante du père, présence d'autant plus lancinante qu'il est mort dans le préambule, qu'il est l'origine de tout, de la famille, de la pièce, de sa représentation, et que pourtant il rend la représentation impossible, par la force de l'affect que son souvenir dégage. Pendant la plus grande partie de la pièce, il se trouvait dans une situation paradoxale, indécidable : est-il mort, est-il vivant ? est-il les deux à la fois suivant les moments et les nouvelles qui parviennent : on pourrait lui appliquer les réflexions que suggèrent dans *Jacques le Fataliste*, le capitaine ancien maître de Jacques, figure paternelle qui lui a enseigné sa philosophie spinoziste : est-ce son corbillard qu'on a rencontré sur la route, ou une supercherie de contrebandiers ? L'hôtesse du Grand Cerf sait-elle s'il est encore vivant, mais qu'importe, répond-elle, cynique, les militaires sont faits pour être tués. Il est dans l'ordre des choses que les pères soient morts. Lysimond a été victime de bandits – les Anglais dont les mœurs ne diffèrent guère de celle de pirates – mais il réapparaît, comme un fantôme, alors qu'on ne l'espérait plus, fantôme qui est vite replongé dans la mort, puisqu'il ne peut assumer son autoreprésentation. Il n'est venu que le temps de la révélation du risque d'inceste, la révélation du crime qui aurait pu se produire ; tel le fantôme shakespearien, il joue essentiellement ce rôle de révélateur tragique, car sa venue transforme le drame qui n'aurait pu être qu'une comédie larmoyante, en une tragédie rétrospective.

De cette importance de la figure paternelle on peut donner des explications qui sans se référer à la tragédie antique ou shakespearienne, évoqueraient davantage l'histoire générale et la biographie ; il est loisible de superposer plusieurs types d'analyse qui ne font que se renforcer. La société qu'a connue Diderot est fortement patriarcale ; le père a des pouvoirs juridiques que n'a pas la mère. On remarquera l'effacement des deux mères dans *Le Fils naturel*. Dorval et Rosalie ne sont que des demi-frères (ce qui atténue encore l'inceste). La mère de Dorval est présentée comme une jeune fille naïve, désarmée et qui meurt bientôt ; la mère de Rosalie, probablement épousée ensuite, puisque Rosalie est plus jeune que Dorval, est morte également et Constance l'a remplacée dans l'éducation de la jeune fille. Il n'est pas donné aux mères de réapparaître, comme le fait le père ; leurs ombres sont légères.

Diderot, comme beaucoup d'écrivains de son siècle, a été plus marqué par son père que par sa mère, en tout cas, il en parle davantage ; il en fera un personnage dans l'*Entretien d'un père et de ses enfants* ; de sa mère qui pourtant s'était montrée compréhensive lorsqu'il avait été rejeté par son père et manquait d'argent, il parle fort peu, peut-être à cause de cette compréhension même et de l'absence de conflit. D'où les maigres renseignements que nous avons sur Angélique Vigneron, née en 1677, épouse de Didier Diderot depuis 1712. Elle meurt en 1748 : c'est une période où la correspondance de Diderot a été mal conservée. Nous manquons donc de témoignages sur ce qu'il a pu ressentir alors. En revanche, lorsque meurt son père en 1759, nous savons par les lettres à Sophie Volland et à Grimm, quel fut son bouleversement. Quand il écrit *Le Fils naturel*, son père est vivant ; le lourd contentieux qui a existé entre eux, lors des années de bohème, lors du mariage, contentieux que le frère chanoine avive volontiers, semble-t-il, a abouti à cet étrange acte de soumission que représente la lettre sur *Le Fils naturel* citée plus haut. Les lettres de l'année 1759 dégageront un poids de culpabilité probablement accumulée dès la composition du *Fils naturel* ; ainsi celle du 1er mai 1759, à Grimm : « J'étais absent quand ma mère mourut. Mon père mourra sans m'avoir à côté de lui. Dans dix ans d'ici je chercherai dans ma mémoire son image, et je ne l'y trouverai plus. Ah ! mon ami, que fais-je ici ? Il me désire, il touche à ses derniers moments, il m'appelle, et je reste. »[1] *Le Père de famille* (1758) exprime plus ouvertement le conflit père-fils et la culpabilité filiale. Cependant on ne manquera pas de faire un rapprochement entre cette peur de perdre l'image paternelle qu'exprime cette lettre de 1759, et le désir

1. B, t. V, p. 88 ; voir aussi p. 94 : « Je suis un mauvais fils », et p. 98.

d'échapper à la destruction du temps et à l'oubli, qui, dans *Le Fils naturel,* amène à la représentation théâtrale : « Dorval, penses-tu qu'un ouvrage qui leur [à nos descendants] transmettrait nos propres idées, nos vrais sentiments, les discours que nous avons tenus dans une des circonstances les plus importantes de notre vie, ne valût pas mieux que des *portraits de famille, qui ne montrent de nous qu'un moment de notre visage* ? » (p. 1082). Le théâtre ancêtre du film familial parlant ? Mais l'impossibilité de jouer la pièce jusqu'au bout marquerait les limites de cette résurrection par les images, par la représentation.

Dans une lettre à Grimm du 13 juillet 1759, donc postérieure au *Fils naturel,* Diderot raconte comment il ne parvient pas à achever *Le Juge de Kent* (autre titre du *Shérif*) : « Quand je veux m'occuper de mon travail, mon esprit s'égare, et [...] ce n'est plus le Juge de Kent, mais le coutelier de Langres que je vois. »[1] J. Chouillet a décelé fort justement, parmi les causes responsables de l'abandon de tant de projets dramatiques de Diderot « le blocage provoqué par un excès de participation de l'auteur devant sa propre pièce »[2]. Le blocage de la création reproduirait curieusement celui de la représentation dans *Le Fils naturel* : l'apparition du père mort rend impossible l'écriture. Ce passage de la correspondance est très révélateur de la force de l'image paternelle, de l'inhibition qu'elle provoque, et de la façon dont l'œuvre précède la vie et l'annonce. Ce blocage, selon J. Chouillet, proviendrait d'un sentiment de culpabilité : « L'amour filial ne peut être pensé que dans une relation de culpabilité : étape indispensable avant le processus de sublimation, qui en est le dénouement normal [...] Vieil héritage dont l'origine théologique n'est pas à démontrer. »[3]

1. B, t. V, p. 114.
2. « Le théâtre en devenir : les ébauches de Diderot », *Diderot et le théâtre,* Comédie-Française, p. 89.
3. *Ibid.,* p. 86.

L'excès de participation s'inscrit dans *Le Fils naturel,* par le fait que les acteurs sont les êtres mêmes qui ont vécu le drame. La représentation du *Fils naturel* constituerait plutôt un psychodrame familial, une psychanalyse de groupe, avant l'heure. La catharsis ne viendrait pas, comme dans l'interprétation courante d'Aristote, de la vue des acteurs exprimant des passions que les spectateurs auraient pu éprouver, mais du fait de rejouer soi-même le drame vécu, et de le rejouer collectivement. Que devient alors le spectateur ? Ce n'est pas lui que le théâtre purifie, ce devrait être les acteurs eux-mêmes. Joué dans la « maison », dans le « salon » (p. 1082), ce théâtre au château se passerait volontiers de spectateurs. « Moi » y est par effraction, en voyeur (on sait d'ailleurs combien œil, culpabilité et figure paternelle sont liés dans les mythes, et là encore on revient à Œdipe). « Il y a quelques scènes où la présence d'un étranger gênerait beaucoup » (p. 1083) dit à « Moi » Dorval qui finalement le fait entrer dans le salon, comme un voleur, comme un amant : « J'entrai dans le salon par la fenêtre ; et Dorval, qui avait écarté tout le monde, me plaça dans un coin, d'où sans être vu, je vis et j'entendis ce qu'on va lire, excepté la dernière scène » (p. 1083), invisible parce qu'irreprésentable.

On ne manquera pas d'opposer à ce passage d'autres textes de l'*Encyclopédie* ou des *Entretiens,* où s'exprime la nostalgie du théâtre antique, d'un spectacle où serait convié le peuple entier. Mais ce n'est possible que dans une démocratie. Sous le régime politique que Diderot a connu, le public ne peut être que limité, jusqu'à ce cas extrême où le rapport entre texte, acteurs et spectateurs reproduit symboliquement la situation incestueuse. L'exogamie que symbolise l'unique spectateur, étranger au drame familial, « Moi », est rejetée aux confins de l'illicite. Cependant l'émotion intègre ce spectateur clandestin au groupe familial, le temps de la représentation : « Lorsque tout le monde fut retiré, je sortis de mon coin, et je m'en retournai comme j'étais venu. Chemin faisant, j'essuyais mes yeux, et je me disais pour me consoler, car j'avais l'âme triste : "Il faut que je sois bien bon de m'affliger ainsi. Tout ceci n'est qu'une comédie"» (p. 1126).

Spectateur, «moi» essaie de maintenir cette distance dont le *Paradoxe* fera la condition même du plaisir esthétique, en se rappelant qu'il s'agit d'une fiction. Mais «ceci n'est pas un conte». «L'histoire de Dorval était connue dans le pays»; cependant ce qui assure le caractère «vrai» de la pièce, ce ne sont pas tant ces témoignages extérieurs, que la vérité du jeu des acteurs : «La représentation en avait été si vraie qu'oubliant en plusieurs endroits que j'étais spectateur, et spectateur ignoré, j'avais été sur le point de sortir de ma place, et d'ajouter un personnage réel à la scène» (p. 1126); le spectateur deviendrait lui-même acteur, forme extrême de participation que les expériences modernes privilégieront.

C'est à la lumière du prologue et de l'épilogue qu'il faut donc lire *Le Fils naturel*; à la lumière des *Entretiens* surtout, nous allons y venir, mais déjà ce prologue et cet épilogue, paradoxalement, tout en relatant l'impossibilité d'une distanciation entre le personnage et l'acteur, entre le spectateur et l'acteur, en fait, établissent une distance entre le texte et le lecteur; ils permettent de lire *Le Fils naturel* autrement. La surabondance de clichés, le pathos qui auraient pu choquer un lecteur moderne, deviennent le lieu d'interrogation sur la nature même du théâtre et sur ses possibilités. Le jeu des acteurs, indiqué minutieusement par les didascalies, prend un sens nouveau, puisqu'il s'agit d'un psychodrame familial de l'inceste, qu'il faut jouer avec tout son corps pour exorciser, s'il est possible, les démons.

Les *Entretiens sur le Fils naturel*

La pièce ne découle pas de la théorie, elle n'est pas son illustration : nous allons voir que, sur bien des points au contraire, elle s'écarte des principes énoncés dans les *Entretiens,* elle leur sert plutôt de tremplin critique. Par la présence de tirades, de coups de théâtre, de domestiques, etc., *Le Fils naturel* est en contradiction avec les *Entretiens* qui, ainsi peuvent, en avançant une critique, proposer un théâtre nouveau que *Le Fils naturel* ne réalise pas encore. Dans la publication simultanée de février 1757, les *Entretiens* font suite de la pièce. Ils ont été écrits eux aussi pendant le séjour à Massy chez Lebreton ; dès février 1757, Diderot met en route *Le Père de famille* qu'annonçaient les *Entretiens.* On ne peut qu'être admiratif devant cette productivité. La rapidité de la publication contraste avec la tendance que l'on constate pour d'autres œuvres, en particulier pour les contes, le *Neveu,* ou *Jacques,* à mettre les textes dans le tiroir et à les réviser sans fin ; elle contraste aussi avec ce qui se passera pour les ébauches dramatiques ou pour *Est-il bon ? Est-il méchant ?* qui relèvent également de la composition par étapes. C'est que Diderot en 1757 veut réformer d'urgence le théâtre et que, pour qu'une réforme entre immédiatement en action, il faut qu'elle soit annoncée au grand jour. Effectivement, le succès des *Entretiens* fut grand et leur audience contribua fortement à l'évolution du théâtre en France, et même en Europe, dans la deuxième moitié du XVIIIᵉ siècle[1].

Une continuité entre la pièce et les *Entretiens* s'établit du fait que les *Entretiens* sont des dialogues, que Dorval qui était le personnage principal et le dramaturge du *Fils naturel* est l'un des protagonistes, et que l'autre est ce « Moi » qui était un « spectateur ignoré », fort tenté de devenir acteur supplémentaire, « d'ajouter un personnage réel à la scène » (p. 1126). L'ambiguïté entre fiction et réalité, entre personnage et être réel se poursuit dans les *Entretiens,* et crée un lien entre les deux textes.

Ces *Entretiens* possèdent la liberté éblouissante des conversations où excelle Diderot. Comme le notera Goethe pour *Le Neveu de Rameau,* les propos semblent partir dans tous les sens, les questions, les objections être lancées comme elles viennent, au hasard, et l'architecture est cependant fort solide, plus visible même à première vue que celle des grands textes romanesques. Les deux premiers entretiens suivent le déroulement de la pièce, mais avec beaucoup de digressions, et la nécessité, à plusieurs reprises, de rappeler le texte de référence (« Nous en sommes au 4ᵉ acte », p. 1158). Le premier entretien est essentiellement critique et aborde les diverses conventions théâtrales : les « unités », la place donnée aux domestiques, les coups de théâtre, les conventions exigées par la décence. Le deuxième entretien proposerait davantage des solutions dans le choix des sujets : le théâtre doit s'attacher exclusivement aux sentiments puissants et à la passion. Il faut réduire la parole au profit du geste ; les salles devraient être plus vastes, pour que l'émotion soit plus communicative. Ainsi la tragédie « domestique et bourgeoise » renouerait avec le grand théâtre antique. Le troisième entretien précise ce que sera le genre nouveau que préconise Diderot, ni comédie, ni tra-

---

1. Cf. F. Gaiffe, *Le drame en France au XVIIIᵉ siècle,* rééd. Colin, 1970, et la thèse de S. Fort, *La culture française de Schiller. La période des drames de jeunesse,* Paris IV, 2000 (dactyl.).

gédie, peinture véridique et morale des « conditions » ; enfin le troisième entretien laisse une large place au théâtre lyrique, nous y reviendrons. Il y a une évidente progression d'un entretien à un autre, de la destruction (relative) des genres anciens à la construction d'un genre nouveau, mais des thèmes reviennent dans les détours de la conversation, parce qu'ils sont fondamentaux, ainsi celui de la pantomime, présent dans les trois *Entretiens*.

Un certain respect des règles du classicisme

Si les *Entretiens* présentent tant de nouveauté dans les idées et dans la forme, ils n'en continuent pas moins un genre traditionnel : celui de la défense d'une pièce par son auteur, défense où il répond aux critiques. Mais Diderot les a devancés, et leur répond avant même qu'ils aient pu formuler des objections, puisque la pièce n'a pas été représentée quand elle paraît suivie des *Entretiens* : c'est dans le *De la poésie dramatique* qu'il répondra aux objections réellement faites par ses adversaires à la lecture du *Fils naturel*. Comme c'est Diderot lui-même qui avance dans les *Entretiens* ses propres critiques sous le masque de « Moi », il va, contrairement aux habitudes des censeurs, reprocher à Dorval d'avoir été trop respectueux des règles du classicisme ; dans un premier temps, par conséquent, Dorval en vient à défendre cet arsenal du classicisme que le drame et plus encore le théâtre romantiques vont remettre en cause.

Et d'abord la règle des unités ; ne constitue-t-elle pas une entorse à la vérité ? « Vous vous êtes asservi à la loi des unités. Cependant il est incroyable que tant d'événements se soient passés dans un même lieu ; qu'ils n'aient occupé qu'un intervalle de vingt-quatre heures, et qu'ils se soient succédé dans votre histoire, comme ils se sont enchaînés dans votre ouvrage » (p. 1131). Autrement dit, pourquoi Dorval a-t-il observé l'unité de lieu, de temps, d'action ? Nécessité psychologique autant qu'esthétique, rétorque

49

Dorval, en employant des arguments déjà souvent mis en avant par le classicisme, ainsi dans la préface de *Bérénice*[1]. Pour l'unité de lieu elle résulte davantage de nécessités techniques : « Ah ! si nous avions des théâtres où la décoration changeât toutes les fois que le lieu de la scène doit changer ! [...] Le spectateur suivrait sans peine tout le mouvement d'une pièce ; la représentation en deviendrait plus variée, plus intéressante, plus claire. La décoration ne peut changer, que la scène ne reste vide ; la scène ne peut rester vide qu'à la fin d'un acte » (p. 1132). Dorval qui a dû opérer une concentration de l'action et des lieux, formule alors son principe esthétique : éviter deux écueils à l'endroit des règles de l'art dramatique, et de tout art : « L'un réduit à rien les observations et l'expérience des siècles passés, et ramène l'art à son enfance ; l'autre l'arrête court où il est, et l'empêche d'aller en avant » (p. 1133). Donc on ne doit pas renverser la règle des trois unités, mais la suivre avec souplesse et intelligence.

Autre convention théâtrale : le valet-conseiller. Dorval justifie le personnage de Charles et son rôle (acte I, scène 2), il permet d'éviter le monologue : « Je me dis à moi-même à peu près ce que j'ai mis dans la bouche de Charles » ; cependant Dorval pense que les valets devraient être supprimés, il évoque l'exemple de Molière lui-même qui s'en serait passé, croit-il, dans *Tartuffe* et dans *Le Misanthrope*[2]. La présence ou l'absence des valets devraient être liées à l'état des mœurs. Certes les valets sont des hommes, comme les autres, mais Dorval, par ailleurs si soucieux de la moralité du théâtre, est prêt à « laisser là [sa] morale ». Il « se

1. Cf. L. Versini, B, t. IV, p. 1132, n. 1 et préface de *Bérénice* : « Toute l'invention consiste à faire quelque chose de rien » et à « attacher durant cinq actes [le] spectateur par une action simple » (*Théâtre classique français*, Club français du livre, t. XV, p. 326).
2. Effectivement dans *Le Misanthrope*, Basque, valet de Célimène, et Dubois, valet d'Alceste sont de peu d'importance et ne tiennent pas le rôle de confidents. Mais dans *Tartuffe*, Dorine, suivante de Marianne, jugée « un peu trop forte en gueule » par Mme Pernelle, participe fortement à l'action, et Marianne se confie à elle.

gardera bien de rendre important sur la scène des êtres qui sont nuls dans la société » (p. 1134). Quant aux soubrettes pour lesquelles « Moi » a une certaine tendresse : « Qu'elles restent donc sur la scène, concède Dorval, jusqu'à ce que notre éducation devienne meilleure et que les pères et mères soient les confidents de leur enfants » (p. 1134). À cette remarque d'ordre sociologique vient s'ajouter un argument esthétique, et l'on peut voir une attaque contre Marivaux dans cette objection qui fait référence à l'unité d'action : « Ces intrigues de valets et de soubrettes, dont on coupe l'action principale, sont un sûr moyen d'anéantir l'intérêt. L'action théâtrale ne se repose point ; et mêler deux intrigues, c'est les arrêter alternativement l'une et l'autre » (p. 1134). Dans *Le Fils naturel*, s'il y a des domestiques, il n'existe pas entre eux une intrigue parallèle comme dans *Le Jeu de l'amour et du hasard*, ou dans tant de pièces de Marivaux. La multiplicité d'intrigues cependant Diderot la pratiquera, mais sans y mêler de domestiques, bien plus tard dans *Est-il bon ? Est-il méchant ?,* il y montrera sa virtuosité en menant de front jusqu'à sept intrigues !

Dorval, dans le *Troisième Entretien*, en vient aussi à justifier une des conventions du théâtre classique, celle du récit d'un accident fatal substitué à sa représentation sur la scène. S'il le fait, ce n'est pas en fonction des bienséances, mais plus subtilement, en évoquant les limites de la représentation et la puissance de l'imagination du spectateur. Si l'action est simple, mieux vaut la représenter sur la scène par la pantomime. « Mais si l'action se complique, si les incidents se multiplient, il s'en rencontrera facilement quelques-uns qui me rappelleront que je suis dans un parterre ; que tous ces personnages sont des comédiens, et que ce n'est point un fait qui se passe. Le récit, au contraire, me transportera au-delà de la scène ; j'en suivrai les circonstances. Mon imagination les réalisera comme je les ai vues dans la nature » (p. 1175).

Dans tout le début du *Premier Entretien*, la discussion en était restée essentiellement aux conventions théâtrales du classicisme. Un tournant est marqué par l'exclamation de Dorval : « Et laissez là les tréteaux ; rentrez dans le salon » (p. 1135). Dorval alors évoque la participation des personnages à la création de la pièce : « Lorsque l'ouvrage fut achevé, je le communiquai à tous les personnages afin que chacun ajoutât à son rôle, en retranchât, et se peignît encore plus au vrai » (p. 1135). Illusion, car les différents protagonistes relisent la pièce avec l'état d'esprit qu'ils ont au moment de cette relecture et qui n'est plus celle qu'ils avaient au moment où ils ont vécu le drame – la vie continue, le théâtre fixe un moment : de ces retouches apportées par les personnages « la vérité des caractères [...] a souffert en quelques endroits » (p. 1135). André a reproché à Dorval de n'avoir pas reproduit exactement son récit, et la version d'André est longuement développée (p. 1148-1150), moralisante et pathétique à l'excès, mais qui se veut plus fidèle à la réalité des faits. Cette participation supposée des personnages à la création du texte est un des aspects les plus intéressants des *Entretiens,* pirandelliens avant l'heure, pourrions-nous dire, s'il n'était pas toujours dangereux de projeter le XXᵉ siècle sur le XVIIIᵉ. Cet aspect s'accentuera encore dans les créations ultérieures de Diderot, ainsi dans *Est-il bon ? Est-il méchant ?* qui présente des « personnages en quête d'auteur ». Ce va-et-vient entre réalité et fiction, à l'intérieur même de la fiction est aussi un trait de ses romans, en particulier de *Jacques le Fataliste,* et c'est une des incidences structurales les plus intéressantes d'une réflexion sur les rapports de la réalité et de l'art.

Les personnages ont refait la pièce. Dorval, lui-même fournit, après coup, des suppléments au texte premier, ainsi il livre des paroles de Constance qui n'étaient pas dans *Le Fils naturel* (p. 1158). Au cours des *Entretiens,* il se met à récrire son texte, et non pas exactement dans la direction

qu'appelleraient les critiques de « Moi ». « Moi » est un fin
limier, il devine les ajouts qui avaient été faits dans la pièce
par les personnages et les dénonce (p. 1162) ; il n'est
d'ailleurs pas uniquement critique et se met, lui aussi, à composer une autre pièce : « Voici maintenant comment j'arran-
gerais le quatrième [acte]. Je laisse la première scène à peu
près comme elle est ; seulement Justine apprend à Rosalie
qu'il est venu un émissaire de son père ; [...] je transporte la
scène seconde du troisième acte [...] » (p. 1163-1164). « Moi »
a poussé vers le pathétique et vers une complication trop
« théâtrale ». Dans les *Salons,* Diderot refait les tableaux dont
il n'est pas satisfait, c'est là un des traits de sa créativité foi-
sonnante, et aussi, ce qui en est le corollaire, de son goût
pour l'esquisse riche de virtualités auxquelles l'œuvre
achevée a dû renoncer. Que de pièces de théâtre laissées par
lui à l'état d'ébauche ! On peut voir aussi chez Diderot un
goût de la variation, forme si fondamentale dans l'art, et en
particulier dans la musique de cette époque. Sur le même
thème de l'infidélité, l'hôtesse du Grand Cerf raconte sur un
registre tragique l'histoire de Mme de La Pommeraye, tandis
que Jacques récite le fabliau grivois de la Gaine et du
Coutelet.

On aurait pu écrire, à partir de l'histoire vécue, plusieurs
pièces appartenant à des genres différents : *Le Fils naturel*
aurait pu être une tragédie ou une comédie, car « la comédie
et la tragédie sont de tous les états » (p. 1169). Il ne s'agit pas
seulement d'opérer quelques modifications au texte du *Fils
naturel,* mais d'en donner des versions qui appartiennent à
des registres totalement différents, avec une virtuosité à la
Queneau. Clairville a composé une version comique du *Fils
naturel.* Non content des discours trop disserts que lui prêtait
Dorval, il avait déjà refait une scène et c'est elle qui a été
reproduite « mot pour mot » dans *Le Fils naturel* (p. 1141), il a
donc participé comme les autres personnages à la rédaction
du texte premier ; mais il a fait davantage. Une fois marié
avec Rosalie, heureux et tranquille, il a écrit sur le thème du
Fils naturel une tout autre pièce qui est une comédie. Diderot

ne nous en donne pas le texte, et suppose que Clairville l'a brûlé, mais il en évoque la teneur : « Il ne vit plus dans notre histoire qu'une aventure commune. Il en fit des plaisanteries. Il alla même jusqu'à parodier le troisième acte de la pièce. Son troisième acte était excellent. Il avait exposé mes embarras sous un jour tout à fait comique. J'en ris ; mais je fus secrètement offensé du ridicule que Clairville jetait sur une des actions les plus importantes de notre vie » (p. 1170). Dorval riposte en écrivant une autre pièce : « Je me vengeai de Clairville en mettant en tragédie les trois derniers actes de la pièce. » Ce canevas, il ne l'a pas détruit.

Une version tragique du Fils naturel

Dans le *Troisième Entretien*, Moi réclame ce canevas tragique et, après l'avoir lu, avouera : « Votre ébauche tragique m'obsède... Je vous vois errer sur la scène..., détourner vos pieds de votre valet prosterné... fermer le verrou... tirer votre épée » (p. 1174). Dans cette version tragique, Dorval se tue après avoir été chassé par Rosalie : elle a vu en lui un traître qui lui a fait croire à son amour, quand il voulait épouser Constance. La version tragique du *Fils naturel* est longuement développée (p. 1170-1173). Diderot en a écrit des dialogues, a indiqué les gestes des personnages, a déjà marqué la division des actes. Elle nous fait penser à un mélodrame, peut-être plus qu'à Racine, à ce genre qui va se développer considérablement à la fin du siècle, parallèle au roman noir. « La tentation d'écrire des pièces "terribles" n'a jamais quitté Diderot », écrit J. Chouillet. « On la retrouvera encore dans des esquisses tardives, comme *Les Deux Amis* ou *Terentia*. »[1] Ce goût du terrible explique que Diderot, à la différence de Voltaire, ait de plus en plus apprécié Shakespeare. De ce goût croissant pour Shakespeare et pour l'horreur, témoignera encore une lettre du 18 décembre 1776 au docteur

---

1. *Diderot et le théâtre*, Comédie-Française, p. 98.

Tronchin à qui il conseille de répandre sur une pièce qu'il a écrite « un air de tumulte et d'horreur, et en même temps de vérité » : « Ah ! monsieur, ce Shakespeare était un terrible mortel ; ce n'est pas *Le Gladiateur* antique ni *L'Apollon du Belvédère* ; mais c'est l'informe et grossier *Saint-Christophe* de Notre-Dame ; colosse gothique, mais entre les jambes duquel nous passerions tous, sans que le sommet de notre tête touchât à ses testicules » (B, t. V, p. 1287).

On voit donc comment, autour du *Fils naturel*, les *Entretiens* ont développé une nébuleuse de textes, un foisonnement d'œuvres possibles, dont les ébauches sont plus ou moins développées. Ces variations ont une valeur critique et ironique : elles établissent une distanciation par rapport au texte du *Fils naturel*, qu'il s'agisse, bien évidemment de la version comique et parodique, et même de la version tragique qui pousse à bout les possibilités du pathos. À partir de ce foisonnement, une définition du genre élu par Diderot au milieu de tant de variations était nécessaire.

Un genre moyen

Diderot propose une sorte de palette des genres dramatiques ; il en distingue cinq essentiellement : « Le burlesque... le genre comique... le genre sérieux... le genre tragique... le merveilleux » (p. 1166) ; cette typologie des genres dramatiques est liée à une typologie des tempéraments et des gouvernements ; la tragédie correspond au tempérament mélancolique – ainsi s'expliquent les tendances de Dorval vers ce genre ; mais pour pouvoir être grande la tragédie aurait besoin de la démocratie, telle que Diderot la voit dans l'Antiquité ; c'est l'absence de liberté, l'impossibilité de réunir le peuple tout entier qui expliquerait les impasses de la tragédie au XVIIIe siècle : « Il faut, pour ce genre, des auteurs, des acteurs, un théâtre, et peut-être un peuple » (p. 1154).

Diderot condamne les deux extrêmes, le burlesque parce qu'il représente une vision basse et caricaturale de la réalité, le merveilleux, parce que, au contraire, il sort de cette réalité. Le « genre sérieux » est un « genre moyen » ; situé exactement au centre de cette palette, entre le comique et le tragique, il peut, il doit jouer des avantages de cette situation intermédiaire. « C'est l'avantage du genre sérieux, que, placé entre les deux autres, il a des ressources, soit qu'il s'élève, soit qu'il descende » (p. 1166). Mais Diderot ne préconise pas exactement le mélange des genres, tel que les romantiques, tel que Victor Hugo le pratiqueront. Il y a un « danger [...] à franchir la barrière que la nature a mise entre les genres » (p. 1167). « Il serait dangereux d'emprunter, dans une même composition, des nuances du genre comique et du genre tragique. Connaissez bien la pente de votre sujet et de vos caractères, et suivez-la » (p. 1168). Le genre moyen possède donc la plus large palette et peut aller du tragique au comique, en toute liberté, mais ne recherchera pas systématiquement la juxtaposition des registres les plus éloignés ainsi du burlesque et du tragique, comme on le voit dans le théâtre anglais (p. 1167, note). Suivant le cas, il se rapprochera plutôt de la tragédie – ainsi *Le Fils naturel* –, ou de la comédie, ainsi *Le Père de famille* (p. 1190).

Ce genre intermédiaire était-il complètement absent avant Diderot ? P. Szondi a très bien montré comment Corneille, en justifiant la « comédie héroïque » annonçait déjà la tragédie bourgeoise[1]. La comédie larmoyante n'est pas aussi médiocre que cette appellation dépréciative pourrait le faire croire (La *Mélanide* de Nivelle de La Chaussée a connu, en 1741 un immense succès). Diderot lui-même se reconnaît des prédécesseurs. Les *Entretiens* citent *Le Jaloux ou Sylvie* (1741), pièce qui pourtant ne connut aucun succès. Son auteur, Landois, était avocat et collaborateur de l'*Encyclopédie*, correspondant de Diderot qui lui envoya une lettre où il expose longuement ses idées sur le théâtre[2]. Diderot cite

---

1. « Denis Diderot : théorie et pratiques dramatiques », *Diderot et le théâtre*, p. 33.
2. B, t. V, p. 1287.

également *L'Enfant prodigue,* mais voudrait que Voltaire, qu'il érige ici en figure paternelle, ait le courage d'aller jusqu'au bout des possibilités de ce genre nouveau et dans les *Entretiens,* il lui adresse cette apostrophe admirative : « Ô toi qui possèdes toute la chaleur du génie à un âge où il reste à peine aux autres une froide raison, que ne puis-je être à tes côtés, ton Euménide ? Je t'agiterais sans relâche. Tu le ferais cet ouvrage ; je te rappellerais les larmes que nous a fait répandre la scène de l'Enfant prodigue et de son valet ; et, en disparaissant d'entre nous, tu ne nous laisserais pas le regret d'un genre dont tu pouvais être le fondateur » (p. 1155).

Les *Entretiens* citent également des auteurs anglais, *Le Marchand de Londres* de Lillo, *Le Joueur* d'Edward Moore, comme exemples de « tragédie domestique et bourgeoise » *(ibid.).* La tragédie postélizabéthaine, de la fin du XVIᵉ siècle au milieu du XVIIIᵉ, a donné toute une série de pièces qui se rattachent à ce genre de la *domestic tragedy* : on peut citer *Arden of Faversham* (1752) qui a été attribué à tort à Shakespeare ; *The fatal Extravagance* (1721) de Aaron Hill ; *Fatal Falsehood* (1734) de Hewitt ; *The London Merchant* (1731), et *Fatal curiosity – a true tragedy –* de Lillo[1]. Diderot a adapté *Le Joueur* et a songé à reprendre *Le Marchand de Londres.* Dans les nombreux projets laissés à l'état d'ébauche par Diderot ce théâtre anglais a une bonne place.

Si donc on peut trouver des antécédents aux créations de Diderot, il ne lui revient pas moins d'avoir été le premier en France à formuler systématiquement une définition d'un genre qu'il est en train de créer et qui n'est d'ailleurs pas exactement le drame au sens où l'entendront Beaumarchais ou Sébastien Mercier, pas non plus peut-être tout à fait ce que réalisent *Le Fils naturel* et *Le Père de famille.*

---

1. J. Chouillet, *Diderot poète de l'énergie,* PUF, 1984, p. 37.

Diderot l'a formulée très nettement au début du *Troisième Entretien* (p. 1167-1168), et la développe plus longuement dans les pages qui suivent, il la formulera à nouveau (p. 1185-1186). « Que le sujet en soit important, et l'intrigue, simple, domestique, et voisine de la vie réelle » (p. 1167). Diderot préconise un théâtre des « conditions », et explicite ce qu'il entend par là, toujours en fonction de cette palette des genres dramatiques que nous avons évoquée plus haut : « Le genre comique est des espèces, et le genre tragique est des individus » (p. 1168). « Dans le genre sérieux, les caractères seront souvent aussi généraux que dans le genre comique ; mais ils seront toujours moins individuels que dans le genre tragique » (p. 1169). Diderot parle également de « théâtre de relations » (p. 1070), c'est-à-dire qu'il s'agirait de peindre, par exemple, le père de famille, le frère, la sœur, etc. La notion de « condition » ne doit pas s'entendre dans le sens de « condition sociale » : *Turcaret* de Lesage met en scène le financier, et pourtant Diderot prétend que le sujet n'a pas encore été traité. C'est que l'optique de Lesage n'est pas exactement celle de Diderot. P. Szondi fait justement remarquer que Diderot ne prévoit pas de caractériser les métiers des personnages. Que fait le fils naturel, à quel métier se destine-t-il ? Nous n'en savons rien ; le père a fait du commerce aux Îles, mais sans que son travail soit mis en scène, il n'est évoqué que rétrospectivement et rapidement. « Moi » suggère même de supprimer l'éloge du commerce qui allonge la scène 5 de l'acte IV et que Dorval considère plutôt comme un « délassement » (p. 1162). Les personnages semblent faire partie de l'aristocratie, mais ils mènent une vie bourgeoise ; le drame qu'ils vivent n'appartient en propre à aucune classe sociale : l'amitié, les menaces d'inceste sont le lot de tous les hommes et la preuve en est l'importance de ces thèmes dans le théâtre antique. Le terme de « théâtre de relations » conviendrait peut-être mieux que celui de « conditions », et c'est bien ce qu'indiquent les titres « le fils naturel », « le père de famille » ;

ces pièces sont sous-titrées « comédies », mais entendent se distinguer de la comédie de mœurs et de la comédie de caractères. D'autre part, Diderot privilégie la relation familiale ; il annonce sa prochaine production : « Le beau sujet que le père de famille » (p. 1189). « Ce sujet me tourmente, dit Dorval, et je sens qu'il faudra que tôt ou tard je me délivre de cette fantaisie » (p. 1190). Dans une vision patriarcale de la famille, le père est au centre de toutes les relations. On pourrait supposer un théâtre de relations qui mettrait en scène « le courtisan », « le prince » ; mais l'impossibilité, en son temps, d'écrire un théâtre véritablement politique, l'amène à restreindre le champ de ces « relations » à celui de la famille, à vrai dire, suffisamment riche en conflits pour alimenter un théâtre ; la seule relation hors famille, mais qui y ramène par le jeu des mariages, serait l'amitié, à laquelle Diderot semble avoir voulu consacrer un de ses nombreux canevas, « Les deux amis » (Beaumarchais intitulera ainsi une de ses premières pièces), et qui tient un rôle important dans *Le Fils naturel.*

Il y a cependant un risque de repliement sur la famille dans le drame, et qui se traduit jusque dans la représentation de son public que se fait Diderot. Si *Le Père de famille* va avoir un grand succès, en revanche, il se contente pour *Le Fils naturel* – et peut-être pas seulement à cause de la cabale anti-philosophique – de représentations destinées à un public restreint, dans un théâtre de château, que figure à l'intérieur même de la pièce le salon familial. À la fin des *Entretiens,* Dorval explique pourquoi il n'a pas voulu présenter sa pièce aux comédiens : « Il est incertain qu'elle fût acceptée. Il l'est beaucoup plus encore qu'elle réussît » (p. 1189). Beaucoup plus tard, probablement autour de 1770, Diderot a écrit un canevas, les *Pères malheureux* – encore et toujours les pères – et il présente ainsi son œuvre : « Si l'on jouait ce drame en famille, je ne doute point que l'intérêt des auditeurs pour les personnages qui seraient en scène ne fût très vif. Peut-être n'en serait-il pas de même sur un théâtre public. »[1]

1. J. Chouillet, in *Diderot et le théâtre*, Comédie-Française, p. 93.

L'autre aspect fondamental du drame, aux yeux de Diderot, c'est son caractère moral. Un lecteur moderne peut être gêné par le pathos qui entoure les considérations morales en cette deuxième moitié du XVIIIᵉ siècle et encore à l'époque révolutionnaire. Le pathos est-il signe d'enthousiasme ou camoufle-t-il une certaine insincérité ? Il nous est difficile de trancher. Il faut néanmoins s'efforcer de comprendre ces élans de sensibilité vertueuse par rapport à leur temps[1]. Les possibilités moralisatrices du théâtre ont de longue date été un des thèmes développés pour sa défense, contre ceux qui y voyaient un lieu de perversité. On a pu analyser aussi cette recrudescence du thème de la vertu comme une conséquence de l'ascension de la classe bourgeoise au XVIIIᵉ siècle, comme une réaction contre le dévergondage et l'élégante désinvolture d'une partie de l'aristocratie. On peut enfin y voir une réaction à l'impuissance politique et sociale dans laquelle est enfermée alors la bourgeoisie[2]. Ces explications ont été amplement développées par la sociologie de la littérature et il n'est pas nécessaire d'y revenir.

Peut-être Diderot se rendra-t-il compte de ce que ce programme moral avait d'illusoire quand il écrira sa dernière pièce *Est-il bon ? Est-il méchant ?,* où la question morale est posée de façon entièrement interrogative comme le laisse présager le titre. « Que votre morale soit générale et forte », énonçait-il pourtant dans la charte du nouveau genre (*Entretiens,* p. 1168), mais nous avons vu que les variations proposées, en marge du drame, il est vrai, estompaient considérablement la morale, et même la parodiaient dans le registre comique ou mélodramatique. Les leçons de morale que l'on peut tirer, si l'on y tient vraiment, du *Fils naturel* et du *Père de*

1. Sur la signification du pathos, cf. A. Coudreuse, *Le goût des larmes au XVIIIᵉ siècle,* PUF, 1999.
2. Cf. P. Szondi, « Denis Diderot. Théorie et pratique dramatiques », *Diderot et le théâtre,* Comédie-Française.

famille n'ont rien que d'assez commun, à un premier niveau d'interprétation, et deviennent très ambiguës si l'on pousse plus loin l'analyse ; en tout cas, la dimension ironique de la pensée et de l'art de Diderot doit toujours être présente à notre esprit quand on tente d'interpréter ses textes.

Ainsi le mythe de l'île de Lampédouse que développent les *Entretiens,* est d'une grande ambiguïté ; cette île était déjà mythique avant que Diderot s'en empare, et Le Tasse l'avait chantée dans son *Roland furieux.* Elle donne lieu à ce bel élan d'enthousiasme de Dorval : « Ah mes amis, si nous allons jamais à la Lampédouse fonder, loin de la terre, au milieu des flots de la mer, un petit peuple d'heureux ! [les comédiens] seront là nos prédicateurs » (p. 1147). La messe sera remplacée par des représentations théâtrales : « Une belle tragédie, qui apprenne aux hommes à redouter les passions ; une bonne comédie, qui les instruise de leurs devoirs, et qui leur en inspire le goût » – on notera qu'il n'est pas encore question du drame. Certes le désir moral s'exhibe dans ce texte, mais j'y lirais surtout une attaque contre l'Église qui a condamné le théâtre et les comédiens ; la note accentue l'aspect ironique, en évoquant le partage de l'île en deux religions qui cohabitent dans le même bâtiment. Où se situe l'*exemplum* ? Dans ces représentations théâtrales imaginaires ou bien dans l'attitude équivoque et ironique de frère Clément, allumant tantôt la lampe de la Vierge, tantôt celle de Mahomet, figure du philosophe obligé de composer avec les religions existantes ? En tout cas la morale du mythe se déplace entre le texte et la note.

Pour en revenir au texte même, il constitue davantage un hymne au théâtre qu'à la moralité ; il exprime ce rêve que développe également l'article « Opéra » de l'*Encyclopédie,* d'une île consacrée à l'art : « Supposons pour un moment que le roi de France envoyât les acteurs et les actrices de l'*opéra* peupler une colonie déserte, et qu'il leur ordonnât de ne se demander les choses les plus nécessaires et de ne converser ensemble que comme ils parlent sur le théâtre » ; les enfants chanteraient dès le berceau, les fils de danseurs ne connaîtraient pas d'autre façon de marcher que la danse. « Si les peuples sauvages voisins de l'île où dans ma supposition j'ai relégué l'*opéra* venaient à ce spectacle, loin de le trouver ridicule, je ne doute guère qu'ils n'admirassent le génie des acteurs et qu'ils ne les regardassent comme des intelligences célestes. » Diderot avait d'abord demandé cet article à Cahuzac ; mais Cahuzac était devenu fou, et il est vraisemblable que Diderot dut plus ou moins faire ou refaire l'article « Opéra ». Dans un moment de désarroi, il écrit à Grimm : « Et qui est-ce qui me fera l'article "Opéra" ? qui est-ce qui osera le faire après Cahuzac ? »[1] Dernière ressource, le directeur de l'*Encyclopédie* lui-même qui aurait au moins retouché l'article de Jaucourt ? Plus d'une fois Diderot a dû remplacer un collaborateur défaillant.

Réformes techniques

Plus convaincants que les visées moralisantes du drame, nous semblent les aspects techniques de la réforme que préconise Diderot. Et d'abord, le drame sera écrit en prose. Là encore, on peut trouver des antécédents, surtout dans la comédie ; la tragédie, malgré quelques tentatives, demeure davantage fidèle à la versification. La prose, affirme Diderot, est plus conforme à cette réalité que le drame prétend reproduire ; elle est plus souple et se prête mieux aux innovations. Plus de tirades : « Un ramage opposé à ces vraies voix de la passion, c'est ce que nous appelons des *tirades*. Rien n'est plus applaudi, et de plus mauvais goût [...]. Tant que dure la tirade, l'action est suspendue » (p. 1145). Mais il y a dans *Le Fils naturel* de longues tirades ; en quoi diffèrent-elles de ces tirades dont Diderot dénonce la vanité ? Elles sont justifiées si elles ne nuisent pas à l'« unité de discours » nécessaire dans une pièce de théâtre. Ce que reproche Diderot à la

---

1. B, t. V, p. 95, 1ᵉʳ mai 1759, et p. 93 : « Savez-vous que Cahuzac est devenu fou et qu'il est à Charenton ? »

tirade, c'est que là, « l'auteur est sorti de son sujet ». En revanche, le drame n'hésite pas à utiliser le monologue. « Le genre sérieux comporte les monologues ; d'où je conclus qu'il penche plutôt vers la tragédie que vers la comédie » (p. 1168). Le monologue est d'autant plus nécessaire si le personnage du valet-confident est supprimé. « Si un valet parle sur la scène comme dans la société, il est maussade ; s'il parle autrement, il est faux » (p. 1168). Il faudra aussi bannir les *a parte,* pure convention théâtrale, puisque le personnage qui est sur la scène est censé ne pas entendre, ce que le public entend fort bien. On sait combien dans la comédie les valets usent de ce procédé pour dire ce qu'ils ne peuvent faire entendre ouvertement à leurs maîtres. Pour Diderot, ce qui ne peut pas être dit à haute voix par le personnage, devra l'être, nous le verrons, par la pantomime.

Autre convention à détruire : le coup de théâtre ; il faudra lui substituer ce que Diderot appelle « des tableaux »[1]. On doit « laisser là ces coups de théâtre dont l'effet est momentané, et trouver des tableaux » (p. 1168). S'il y a des coups de théâtre dans *Le Fils naturel,* ce n'est pas la faute de Dorval, c'est parce qu'ils se sont présentés dans la réalité (p. 1136) ; sa doctrine cependant est fermement exposée : « J'aimerais bien mieux des tableaux sur la scène où il y en a si peu, et où ils produiraient un effet si agréable et si sûr, que ces coups de théâtre qu'on amène d'une manière si forcée, et qui sont fondés sur tant de suppositions singulières » (p. 1136). Mais que faut-il entendre par tableaux ? c'est ce que demande immédiatement « Moi ». À partir de l'exemple que lui donne Dorval (« Le second acte de la pièce s'ouvre par un tableau, et finit par un coup de théâtre »), « Moi » arrive à formuler cette définition : « Un incident imprévu qui se passe en action, et qui change subitement l'état des personnages, est un coup de théâtre. Une disposition de ces personnages sur la scène, si naturelle et si vraie, que, rendue fidèlement par

1. Voir P. Franz, *L'esthétique du tableau dans le théâtre du XVIIIe siècle*, PUF, 1998, p. 153 et sq.

un peintre, elle me plairait sur la toile, est un tableau » (p. 1136). Le début de l'acte II représente *« Rosalie tristement appuyée »* sur *« un métier de tapisserie »*. *« Rosalie n'interrompt son ouvrage que pour essuyer des larmes qui tombent de ses yeux »* (p. 1090-1091). Ce tableau suffit à faire comprendre la douleur de Rosalie qui n'aime plus Clairville à qui elle a été promise. À la fin de l'acte II, au contraire, coup de théâtre (et qui s'accompagne de quiproquo) : Dorval vole au secours de Clairville en laissant une lettre destinée à Rosalie et que Constance prend pour elle.

Cette préférence pour le tableau au dépens du coup de théâtre est un des aspects les plus intéressants des *Entretiens,* et de la théorie du genre moyen. Elle met en cause toute l'esthétique de Diderot. On pourrait objecter que le tableau ne fait pas avancer l'action de façon aussi décisive que le coup de théâtre. Le tableau révèle cependant une évolution des sentiments plus lente, mais finalement plus profonde, et qui par conséquent a des incidences capitales sur l'action. Le rapprochement entre le théâtre et la peinture fait ressortir également un aspect de la pensée de Diderot plus développé dans ses *Salons* : la présence du temps dans la peinture. Pour qui s'en tiendrait à une approche superficielle, le théâtre, comme la musique, reposent sur le déroulement temporel, tandis que la peinture immobilise un instant ; mais Diderot a bien montré que le grand peintre sait suggérer toute une durée avant le moment qu'il a choisi – d'où la nécessité de bien choisir ce moment pour le peintre comme pour le dramaturge. Ainsi dans le tableau *La Naissance de Louis XIII,* par Rubens, apparaît sur le visage de Marie de Médicis à la fois la joie d'avoir mis au monde un fils, mais aussi la trace des souffrances qui ont précédé cette naissance[1]. La peinture est donc aussi, comme le théâtre, un art du temps et c'est pourquoi le « tableau » occupe une place fondamentale dans la théorie dramatique de Diderot.

---

1. Cf. article « Composition » de l'*Encyclopédie* et *Salon de 1765*, B, t. IV, p. 122 et 386.

Cependant le tableau se passe de paroles, comme la peinture. *« Le silence dure un moment pendant lequel Justine laisse l'ouvrage et considère sa maîtresse »* (p. 1091). Les personnages ne se mettront à parler qu'après que le public aura eu le temps de contempler ce tableau muet. Mais dès lors le dramaturge, devenu peintre, a un autre rôle : non plus écrire des paroles, mais indiquer des attitudes. D'où le développement des didascalies dans le théâtre de Diderot, trait qui ne fera que s'accentuer dans la production théâtrale de la fin du XVIIIe siècle, en particulier chez Beaumarchais[1].

Dans *Le Père de famille*, Diderot tentera même une technique encore plus audacieuse, celle qui consiste à mettre sur la scène deux tableaux simultanés : celui du père de famille discutant ses affaires avec son intendant, celui de Cécile et de la marchande de toilette, scène de genre que la peinture affectionne ; l'acte II s'ouvre sur une très longue didascalie (p. 1211), nécessaire pour brosser ces deux tableaux qui font contraste, et dont le contraste est signifiant, l'un représentant la misère du peuple, l'autre le luxe superflu des riches. Cette juxtaposition peu vraisemblable si l'on s'en tient au strict respect de l'unité de lieu, choqua les comédiens, et la scène « disparut à la représentation et dans les éditions de 1769 et 1772 »[2]. Cependant le théâtre médiéval avait déjà pratiqué cette technique, grâce à la juxtaposition sur la scène de plusieurs « mansions », mais alors la question de l'unité de lieu ne se posait pas dans les termes du théâtre classique.

Le « genre moyen » devient le point de convergence de tous les arts, car le tableau est un tableau vivant ; les personnages ne s'immobilisent que pour un moment, ensuite ils vont bouger, et Diderot là encore demande que soient réformées les habitudes. Que les acteurs ne récitent pas leurs tirades, figés, face au public, mais qu'ils exécutent des « panto-

1. Cf. B. Didier, « Inscription de régie dans les manuscrits dramatiques et musicaux de la fin du XVIIIe siècle », *Genesis*, 1995, n° 7.
2. L. Versini, B, t. IV, p. 1075.

mimes », c'est-à-dire tout un jeu de gestes signifiants. Là encore la présence des corps tiendra lieu de paroles. On parle trop au théâtre, pense Diderot, et de même Rousseau[1]. La pantomime, comme la partie orchestrale dans l'opéra, peut traduire tout un non-dit, tout ce que nous appellerions l'inconscient ou le pré-conscient. Ainsi la gestuelle de Dorval pourra exprimer ce qu'il ne dit pas encore, mais qu'il commence à soupçonner : que Lysimond est son père, Rosalie sa sœur, qu'il est au bord de l'inceste. Le dramaturge ne doit pas écrire des paroles, mais, dans la didascalie, décrire la pantomime de Dorval.

Par l'exaltation de la pantomime à laquelle se livre Dorval dans les *Entretiens,* s'établit un lien très fort entre théâtre, peinture et danse. Diderot lorsqu'il écrit les *Entretiens* ne semble pas connaître la réforme que Noverre (1727-1810) est en train d'opérer, et qui sera énoncée en ses principes dans les *Lettres sur la danse et les ballets,* parues en 1760. En revanche, il le citera dans *Le Neveu de Rameau*[2]. À cette date de 1757-58, il y a eu concordance entre les idées de Noverre et celles de Diderot, plutôt qu'influence réciproque. Noverre, lui aussi, préconise de remplacer les figures abstraites de la danse ornementale par une danse d'expression, proche de la pantomime demandée par Diderot qui, au moment des *Entretiens,* connaît bien, en revanche, le théâtre italien, et cite Nicolini, chef de troupe de mimes italiens, même si Dorval prétend ne pas l'avoir vu encore (p. 1185). Diderot citera Nicolini dans le compte rendu d'une brochure de Cochin, la *Pantomime dramatique ou Essai sur un nouveau genre de spectacle, Mercure de France,* 7 août 1779, mais sans paraître l'avoir vu personnellement : « Ceux qui ont assisté

1. Cf. *Nouvelle Héloïse,* 2ᵉ partie, lettre XVII : « En général, il y a beaucoup de discours et peu d'action sur la scène française ; peut-être est-ce qu'en effet le Français parle encore plus qu'il n'agit, ou du moins qu'il donne un bien plus grand prix à ce qu'on dit qu'à ce qu'on fait » (GF, p. 180).
2. Noverre est cité dans *Le Neveu de Rameau* (B, t. II, p. 691). Noverre citera aussi Diderot (*Lettres sur la danse,* éd. Ramsay, 1978, p. 342 et sq.).

aux pantomimes d'un certain Nicolini, je crois [...] m'ont assuré qu'ils n'avaient jamais vu de spectacle plus parfait » (*Œuvres*, L, t. XII, p. 757).

Le jeu de l'acteur

Quoique les *Entretiens* ne soient pas, comme le sera le *Paradoxe,* axés essentiellement sur le rôle de l'acteur, Diderot en énonçant les principes fondamentaux d'une réforme du théâtre et de l'écriture du dramaturge, est inévitablement amené à demander aussi une transformation du rôle de l'acteur, de sa déclamation, de sa gestuelle ; enfin il réclame de lui des capacités d'improvisation qui découlent des deux exigences précédentes, car le dramaturge ne peut pas tout écrire, si développées que soient les didascalies ; encore est-il plus facile de noter les gestes que les accents.

« La voix, le ton, le geste, l'action, voilà ce qui appartient à l'acteur ; et c'est ce qui nous frappe, surtout dans le spectacle des grandes passions. C'est l'acteur qui donne au discours tout ce qu'il a d'énergie. C'est lui qui porte aux oreilles la force et la vérité de l'accent » (p. 1145). « Il y a des endroits qu'il faudrait presque abandonner à l'acteur. C'est à lui à disposer de la scène écrite, à répéter certains mots, à revenir sur certaines idées, à en retrancher quelques-unes et à en ajouter d'autres » (p. 1144). C'est ainsi que l'acteur pourra exprimer le véritable cri de la passion. On voit par là s'esquisser un parallèle entre le comédien et l'interprète de l'œuvre musicale, entre la déclamation et le chant, sur lequel nous aurons à revenir. On voit aussi les parentés de Diderot avec le théâtre de la *commedia dell'arte* et l'opéra bouffe.

Une réforme totale

Cet acteur nouveau que demande Diderot ne peut donner la pleine mesure de son talent que si les conditions mêmes de son travail ont changé, non seulement parce qu'il œuvrera à partir d'un texte appartenant à ce « genre moyen », mais aussi parce que la scène aura été transformée, que des décors, des costumes plus vrais seront devenus possibles. Bien révélateur le fait qu'André ait pris le soin de rapporter les vêtements de prisonniers, quoiqu'il y ait là une certaine invraisemblance : comment prévoyait-il que l'histoire de Lysimond deviendrait le sujet d'un drame ; mais peu importe, l'important c'est que le théâtre, dans les costumes mêmes, colle le plus possible à la réalité. Une réalité revue par l'art, certes ; mais n'est-ce pas ce qu'a réussi un grand peintre qu'aime Diderot : Chardin ? « Ô Chardin, ce n'est pas du blanc, du rouge, du noir que tu broies sur la palette ; c'est la substance même des objets, c'est l'air et la lumière que tu prends à la pointe de ton pinceau, et que tu attaches sur la toile. »[1]

---

1. *Salon de 1763*, B, t. IV, p. 265.

La scène lyrique

Dans l'*Addition à la Lettre sur les aveugles,* Diderot appelait
la musique « le plus violent des beaux-arts »[1]. Sa passion
pour la musique s'exprime tout au long de son œuvre, et
dès les *Mémoires sur différents sujets de mathématiques* dont plusieurs sont consacrés à l'acoustique. Les échos de la querelle
entre lullistes et ramistes apparaissent de façon ironique
dans *Les Bijoux indiscrets. La Lettre sur les sourds et muets* est en
grande partie une lettre sur la musique et sur le « hiéroglyphe » musical. De nombreux articles d'organologie dans
l'*Encyclopédie* ont été rédigés par Diderot. Les *Leçons de clavecin et Principes de l'harmonie*[2] furent écrits en collaboration
avec Bemetzrieder, et la part de Diderot semble plus grande
qu'on ne l'a dit. Enfin, *Le Neveu de Rameau* aborde à peu
près toutes les questions qu'on peut se poser au XVIIIᵉ siècle
sur la musique, emprunte même à cet art des éléments de
structure, établit entre pantomime et musique un lien étroit
sur lequel nous allons revenir. La place de la musique dans
l'œuvre de Diderot est considérable ; j'ai déjà eu l'occasion
d'en traiter amplement dans mon étude consacrée à *La
musique de Lumières*[3] ; je n'y reviendrai donc pas sinon pour

1. B, t. I, p. 190.
2. 1771, L, t. IX, p. 625 et sq.
3. B. Didier, *La musique des Lumières*, PUF, 1985. Voir aussi J.-M. Bardez,
   Les écrivains et la musique au XVIIIᵉ siècle, Champion, 1975-1980, t. I.

rappeler que dans la pensée des Philosophes, la musique est essentiellement liée au théâtre. Certes Diderot peut être enchanté par la harpe du comte Ogenski, il est même de tous les Encyclopédistes celui qui est le plus capable d'apprécier une musique purement instrumentale, telle qu'on peut l'entendre au Grandval, dans des concerts privés, ou dans les Concerts spirituels. Il n'empêche, pour les hommes du XVIIIe siècle, la musique, c'est d'abord l'opéra, et les Concerts spirituels avaient été prévus comme un succédané dans un temps qui devrait être de pénitence, le temps de carême. L'opéra est un lieu de sociabilité, il est un sujet privilégié de conversations ; on se passionne pour tel ou tel chanteur, telle ou telle cantatrice ; des cabales se forment autour d'un musicien ou contre lui – Rameau en a fait la triste expérience – la fameuse Querelle des Bouffons (1752), encore proche lorsque Diderot écrit *Le Fils naturel* et les *Entretiens* a contribué à focaliser les discussions musicales autour de la scène lyrique. Ainsi s'explique que le *Troisième Entretien* soit en grande partie consacré à l'opéra. Diderot ne se contente pas de critiquer les productions lyriques, il propose lui-même des exemples d'œuvres à faire ; enfin, à bien des égards, la scène lyrique lui apparaît comme le modèle du théâtre absolu.

Une attitude critique

« Si le genre lyrique est mauvais, c'est le plus mauvais de tous les genres. S'il est bon, c'est le meilleur » (p. 1181). La critique de Diderot est précise et porte sur toutes les questions fondamentales de l'opéra. Et d'abord dans l'échelle générique que proposent les *Entretiens,* dans quelle catégorie doit-on le placer ? On a vu que Diderot situait le « genre sérieux » entre la tragédie et la comédie, exactement au centre des cinq catégories qu'il distingue et dont les deux extrêmes, le burlesque, d'une part, le merveilleux d'autre part, lui semblent devoir être proscrits, comme s'écartant de la nature, et par conséquent comme étant impossibles à codifier : « Le genre burlesque et le genre merveilleux n'ont point de poétique, et n'en peuvent avoir. Si l'on hasarde sur la scène lyrique, un trait nouveau, c'est une absurdité qui ne se soutient que par des liaisons plus ou moins éloignées avec une absurdité ancienne » (p. 1178).

L'opéra se situe essentiellement, à cette époque, dans le merveilleux ; il s'autorise des interventions de dieux, il use de machines, il ne respecte pas la règle du vraisemblable, encore moins se soucie-t-il du vrai. Le merveilleux sévèrement banni de la tragédie et de la comédie, est accepté par les théoriciens du classicisme pour la scène lyrique exclusivement. L'abbé Batteux propose cette définition : « Un opéra est [...] la représentation d'une action merveilleuse. C'est le divin de l'épopée mis en spectacle. Comme les acteurs sont des dieux, ou des héros demi-dieux, ils doivent s'annoncer aux mortels par des opérations, par un langage, par des inflexions des voix qui surpassent le vraisemblable ordinaire. »[1] Voltaire émet les mêmes convictions dans ses *Commentaires sur Corneille,* à propos de *La Toison d'or* : « La partie fabuleuse de cette histoire semble beaucoup plus convenable à l'opéra qu'à la tragédie. »[2] Diderot dans son souci de réalisme, émet donc un vœu : « Des hommes de génie ont ramené, de nos jours, la philosophie du monde intelligible dans le monde réel. Ne s'en trouvera-t-il point un qui rende le même service à la poésie lyrique, et qui la fasse descendre des régions enchantées sur la terre que nous habitons ? » (p. 1182).

La question du merveilleux à l'opéra est d'abord celle de la « poésie lyrique », c'est-à-dire du livret. Les querelles musicales du XVIIIe siècle opposent les partisans de *prima la musica* qui serait le principe de la musique italienne, aux partisans de *prima la parola* qui serait celui de la musique française. Les

---

1. Batteux, *Les beaux-arts réduits à un seul principe*, 1746, p. 219-220.
2. Voltaire, *Commentaires sur Corneille, OC,* The Voltaire foundation, t. LIV, p. 823.

Philosophes, qui ont pris parti dans la querelle des Bouffons pour la musique italienne, ont été soucieux cependant de la qualité littéraire des livrets, au point que Rousseau préfère les écrire lui-même ! Une bonne partie des réflexions sur l'opéra dans le *Troisième Entretien* aborde la question des livrets, celle sur laquelle un écrivain se sent le plus de pouvoir direct. Déjà dans le chapitre « De l'opéra de Banza » des *Bijoux indiscrets,* on pouvait lire : « Quelques partisans de ce dernier [Rameau] prétendent que si le dialogue d'Utmisol [Lulli] est supérieur au sien, c'est moins à l'inégalité de leurs talents qu'il faut s'en prendre, qu'à la différence des poètes qu'ils ont employés. »[1]

Le grand modèle des librettistes en France – comme l'est Métastase en Italie ; mais Diderot donne nettement sa préférence à Métastase[2] – c'est Quinault (1635-1688) qui a écrit tant de livrets pour Lulli (1633-1687). « Moi » et « Dorval » ont une évidente tendresse pour les productions de cet écrivain : « Personne ne lit Quinault avec plus de plaisir que moi. C'est un poète plein de grâces, qui est toujours tendre et facile, et souvent élevé. J'espère vous montrer un jour jusqu'où je porte la connaissance et l'estime des talents de cet homme unique, et quel parti on aurait pu tirer de ses tragédies, telles qu'elles sont » (p. 1178). *De la poésie dramatique* citera parmi les plus belles scènes qui soient, à côté de Voltaire *(Zaïre)* et de Racine *(Iphigénie),* « la scène de Roland dans l'antre où il attend la perfide Angélique », sans que l'on puisse trancher si Diderot songe à la tragédie de *Roland* de Quinault, ou au livret de *Roland furieux,* également de Quinault et auquel il fait référence dans le *Salon de 1765*[3].

Ce n'est donc pas le talent de Quinault qui est en cause, mais le « genre ». C'est le « genre » qui est « mauvais », non le poète (p. 1186). Diderot qui n'a pas pu connaître tout le parti

1. B, t. II, p. 52.
2. Cf. *Au petit prophète...*, B, t. IV, p. 137, le parallèle entre *Armide* et *Nitocris.*
3. *Salon de 1765*, B, t. IV, p. 311.

qu'un Paul Dukas, à partir d'un livret de Maeterlink, tirera de cette légende dans *Ariane et Barbe-Bleue* (1907), cite l'exemple de l'histoire de Barbe-Bleue comme pouvant donner lieu à un livret pathétique : « Croit-on que cette situation ne soit pas aussi belle qu'aucune du théâtre lyrique et que la question "Ma sœur, ne voyez-vous rien venir ?" soit sans pathétique ? » (p. 1179). Ce qui nuit à l'effet, c'est le merveilleux de la barbe bleue. Du problème du livret et du merveilleux, Diderot passe alors à celui de la croyance : c'est parce que nous ne croyons plus aux dieux antiques, et parce que les « diables » du christianisme sont trop « gothiques » (cf. p. 1180), trop inesthétiques, que le merveilleux de l'opéra est devenu intolérable. Mais il est un autre genre pour qui la question du merveilleux se pose : l'épopée. Pourquoi y acceptons-nous mieux le merveilleux ? C'est que nous lisons l'épopée et nous imaginons ces dieux lors de notre lecture, nous ne les voyons pas matérialisés, incarnés par des chanteurs sur une scène comme à l'opéra. Et le merveilleux du livret ramène à cette question fondamentale de la représentation et de l'imagination.

Que sera la scène lyrique ? « N'est-ce pas prostituer la philosophie, la poésie, la musique, la peinture, la danse, que de les occuper d'une absurdité ? » (p. 1182). Dans la mesure où la scène lyrique mobilise encore plus d'arts que le théâtre parlé, on devrait être d'autant plus exigeant sur le sujet. On connaît la boutade de Beaumarchais selon laquelle ce qui serait trop bête pour être dit, on le chanterait. C'est contre cette mauvaise habitude de sujets insignifiants que s'insurge Diderot, habitude d'autant plus désolante, puisque tous les arts doivent concourir à la réussite du spectacle lyrique. « Chacun de ces arts en particulier a pour but l'imitation de la nature ; et pour employer leur magie réunie, on fait choix d'une fable ! » (p. 1182). Grâce à une stricte obéissance au principe de l'imitation de la nature dans le sujet même de l'opéra, comme dans chaque art qui travaille à sa réalisation, toutes les objections que l'on peut faire à ce genre disparaîtraient : l'unité de temps, de lieu, d'action seraient alors faciles à suivre. Que vienne l'homme de génie, à la fois philosophe et poète et il « fera naître » le musicien. On voit donc dans ce texte une valorisation extrême du texte littéraire de l'opéra et par conséquent du poète-librettiste.

Cette imitation de la nature qui va présider au choix et à la rédaction du livret devra se retrouver dans toutes les parties de la réalisation. On reconnaît alors des relents de la Querelle des Bouffons et de la défense du chant italien comme plus proche de la nature : « Le genre lyrique d'un peuple voisin a des défauts sans doute, mais beaucoup moins qu'on ne pense. Si le chanteur s'assujettissait à n'imiter, à la cadence, que l'accent inarticulé de la passion dans les airs de sentiment, ou que les principaux phénomènes de la nature, dans les airs qui font tableau, et que le poète sût que son ariette doit être la péroraison de sa scène, la réforme serait bien avancée » (p. 1182). Dans ce passage se dessine donc une distinction entre deux types d'airs d'opéra : ceux qui expriment la passion d'un personnage, ceux qui font « tableau », et il faudrait probablement entendre le mot dans un sens légèrement différent de celui que Diderot emploie lorsqu'il parle de scènes-tableaux à substituer aux coups de théâtre, ici il s'agirait davantage d'airs où un chanteur exalte, par exemple, la beauté de la nuit, ou du lever du soleil. Mais alors la question de l'imitation par le chant est plus complexe. Il ne s'agit pas tant d'une musique imitative des bruits de la nature, que de rendre par la musique les sentiments éprouvés par l'homme devant tel spectacle, Diderot opérant ainsi un passage, capital dans l'histoire de l'esthétique, du principe de l'imitation à celui d'expression[1]. Le modèle rhétorique, d'autre part, est important dans la réflexion sur la musique, importance qui apparaît également dans l'article « Imitation » de l'*Encyclopédie*. L'ariette doit être considérée comme une « péroraison », conclusion du discours qui entraîne la conviction.

---

1. Cf. B. Didier, *La musique des Lumières*, p. 19 et sq. et G. Snyders, *Le goût musical en France aux XVIIe et XVIIIe siècles*, J. Vrin, 1968.

Autre élément essentiel à l'opéra, les ballets qui ont tant contribué au succès des œuvres de Rameau. Le charme des spectacles lyriques dépend beaucoup d'eux. L'opéra-ballet est une forme très appréciée à laquelle se rattachent *les Indes galantes* . Les ballets qui peuvent, comme les ouvertures d'ailleurs, être réutilisés d'un opéra à un autre, n'ont souvent alors aucun rapport avec le thème de l'opéra, et sont purement ornementaux. Diderot, réformateur de l'opéra, demande que la danse soit aussi un art d'imitation, ce que réclame également Noverre. Il arrive alors à ce rapport, quasi mathématique : « La danse est à la pantomime comme la poésie est à la prose, ou plutôt comme la déclamation naturelle est au chant ; c'est une pantomime mesurée » (p. 1183). La différence entre la pantomime du théâtre parlé et la danse du théâtre lyrique consistera donc essentiellement en ce que la danse devra se conformer à un rythme musical, à une « mesure ».

Diderot pousse plus loin la réflexion sur la danse : elle pourrait ne pas être insérée dans un opéra, mais constituer à elle seule un spectacle, ce qui est fréquent à notre époque, mais ne l'était pas au XVIIIe siècle où, sauf dans les comédies-ballets, elle était conçue comme ornement de l'opéra. « Une danse est un poème. Ce poème devrait donc avoir sa représentation séparée. C'est une imitation par les mouvements, qui suppose le concours du poète, du peintre, du musicien et du pantomime » (p. 1183). Le poète écrit alors ce que nous appellerions un scénario. Ce spectacle de danse se divisera comme une pièce de théâtre en actes et en scènes ; il comportera comme l'opéra, l'équivalent du « récitatif libre » ou « obligé » et des ariettes. Si l'on se reporte au *Dictionnaire de musique* de Rousseau, on trouve cette définition du récitatif libre : « Discours récité d'un ton musical et harmonieux » ; c'est un intermédiaire entre le chant et la parole, qui pour cette raison a beaucoup intéressé les Philosophes ; il précède le plus souvent le « grand air » ; le récitatif obligé est accompagné de musique et par conséquent obligé à plus de rigueur rythmique.

« Moi » demande qu'on l'éclaire, et c'est un bon prétexte pour permettre à Diderot de créer des œuvres imaginaires, ce en quoi il excelle, qu'il s'agisse d'opéras ou de tableaux : on songe aux *Salons,* et ici comme ailleurs, une œuvre déjà existante lui sert de tremplin. Le *Troisième Entretien* va alors faire place à deux œuvres : l'une chorégraphique, l'autre lyrique. La première refait le ballet du *Devin du Village,* la seconde part de Racine et d'*Iphigénie.*

Lors de la querelle des Bouffons, Diderot avait déjà écrit un opuscule – il y en eut une quantité prodigieuse à ce moment-là – *Au petit prophète de Boehmishbroda* qui s'adresse à Grimm, où dans une « Vision de la nuit du mardi gras au mercredi des cendres », lui apparaissait *Le Devin de Village,* opéra de Rousseau ; sans le refaire complètement, Diderot y incorporait des dialogues imaginaires, traduction de la musique instrumentale. « J'entendis aux violons que son père lui disait : "Tu l'aimes donc toujours ? Tu en es donc toujours aimé ?" » Il suggérait déjà que le ballet final était à refaire[1]. Diderot a par ailleurs laissé un *Plan d'un opéra-comique* qui a été retrouvé dans le fonds Vandeul et dont la datation pose des problèmes : au moment de la querelle des Bouffons ? Vers 1757-1760, comme le suggère R. Lewinter, c'est-à-dire dans cette période d'intense création dramatique du *Fils naturel* et du *Père de Famille,* et de la réflexion sur le théâtre qui l'accompagne *(Entretiens, De la Poésie dramatique)* ? Plus tard encore ?[2]. Personnellement je pencherai volontiers pour la datation 1757-1760, en raison précisément de la parenté de ce *Plan* avec les *Entretiens.*

Parenté, mais aussi différence, car dans les *Entretiens* il ne s'agit pas du plan d'un opéra-comique, mais d'un spectacle purement chorégraphique. Le vocabulaire propre de ce type de spectacle n'est pas encore constitué, et Diderot est obligé

1. B, t. IV, p. 148.
2. R. Lewinter, L, t. IV, p. 379 et sq.

d'utiliser le vocabulaire de la musique et de l'opéra, ce qui pourrait prêter à confusion. Ainsi il ne parle pas de « pas-de-deux » mais de « duo », etc. ; le découpage de la suite des pantomimes mesurées correspond très exactement à ce que serait le découpage des airs d'opéra. Témoins ces expressions : « C'est un *récitatif* qui peut être coupé d'une *ariette* de dépit. » « Il se fait entre eux un *duo* fort vif » (p. 1184). Il est question de « chœur ». Pauvreté du vocabulaire de la danse encore mal fixé ? ou bien chez Diderot l'imagination est-elle avant tout musicale, même l'imagination du geste ?

Cette imagination du geste est en tout cas fort précise, et comme dans *Le Neveu de Rameau* où les prétendues « fausses notes » et la nécessité de raccorder le violon donnent plus de vérité à la pantomime, ici aussi les erreurs contribuent à la réalité des gestes : « Ils répètent leur danse ; ils se recordent le geste et les pas ; ils se reprennent, ils recommencent ; ils font mieux, ils s'approuvent ; ils se trompent ; ils se dépitent » (p. 1184). Ce procédé du théâtre à l'intérieur du théâtre apparaît comme un moyen de produire un effet de réel. Situé à l'intérieur des *Entretiens,* et dans le prolongement du *Fils naturel,* ce théâtre à l'intérieur du théâtre crée aussi un phénomène de correspondance, de reflet, de construction en abîme : le texte même du *Fils naturel* n'a-t-il pas été présenté comme un texte en train de se faire avec des retouches, des tâtonnements, et les *Entretiens* ne présentent-ils pas plusieurs versions possibles du *Fils naturel* ?

Si Diderot exclut les diableries de la grande scène lyrique, il n'hésite pas à user des ressources de la « superstition » pour des scènes plus rustiques. La peur des spectres est un élément de l'action dans ce livret comme dans le *Plan d'un opéra-comique,* mais la supercherie est dévoilée ; les masques sont ôtés, les petits paysans se mettent à jouer avec les masques ; et ainsi Diderot montre quel parti on pourrait tirer de cette technique théâtrale, vieille comme le théâtre lui-même, dont le classicisme s'était privé par souci des bienséances, mais le théâtre italien avait su largement l'exploiter et Nicolini ne l'ignorait pas (p. 1185).

Ce projet de scénario qui pourtant repose sur un thème bien banal – « Il est commun », constate Dorval ; il est très conventionnel en effet – est cependant fort intéressant par toutes les possibilités d'innovations qu'il révèle : « Mais j'y appliquerai mes idées aussi facilement que s'il était plus voisin de la nature et plus piquant » (p. 1183), ajoute-t-il, non sans raison. Diderot se montre capable de pressentir le développement de la danse moderne, son autonomie, et ses ressources, et ainsi élargit considérablement sa réflexion sur les arts de la scène.

L'autre exemple est d'une nature différente. Il s'agit non d'un scénario de danse, mais d'un projet d'opéra. Il figure après que Diderot ait fait pour la deuxième fois une énumération des réformes qui lui semblent nécessaires pour la scène, en y intégrant la réforme de l'opéra : « La tragédie réelle à introduire sur le théâtre lyrique » (p. 1186). Qu'entendre par « réelle » ? une tragédie qui abandonnerait la mythologie, pour venir sur terre. « Moi » cependant est surpris quand Dorval lui annonce qu'il veut rétablir sur la scène l' « ancienne » tragédie : « Pourquoi pas la tragédie domestique ? », pourquoi ne pas faire à l'opéra une réforme similaire à celle que Dorval prévoit pour le théâtre parlé ? Le problème essentiel est celui de la versification : la musique repose sur la mesure, la parole qui lui est substantiellement liée dans l'opéra, devra donc aussi être mesurée. Diderot vient de récuser l'emploi du vers pour le « genre moyen ». Le recours au vers dans l'opéra entraîne un changement dans le choix même des sujets ; on devra donc en rester aux thèmes de l'ancienne tragédie, c'est-à-dire finalement à un genre qui n'est pas si éloigné de la tragédie lyrique du XVIIᵉ siècle. À preuve d'ailleurs que Diderot reprend un sujet qui avait tenté Lulli : Iphigénie. L'impossibilité de traiter la tragédie domestique à l'opéra autrement qu'en vers amène un changement dans la classe sociale à laquelle appartiennent les personnages. Certes, Diderot ne rappelle pas les dieux antiques sur la scène lyrique, après les avoir si clairement chassés, mais l'exemple de Clytemnestre situe les personnages dans une famille royale. Ce n'est pourtant pas la reine qui intéresse chez Clytemnestre, mais la mère, en quoi elle ne diffère pas d'une mère bourgeoise. Il n'en serait pas de même pour Agamemnon, plus attaché à son rôle de roi : « Pour rendre pathétiques les conditions élevées, il faut donner de la force aux situations. Il n'y a que ce moyen d'arracher de ces âmes froides et contraintes, l'accent de la nature, sans lequel les grands effets ne se produisent pas. Cet accent s'affaiblit à mesure que les conditions s'élèvent » (p. 1179-1180). Diderot ne donne pas un plan de tout l'opéra ; on ne saura donc pas comment il aurait résolu la question de l'intervention de Diane ; il le suggère cependant lorsqu'à propos du théâtre parlé, il montrait comment les dieux antiques étaient en fait l'incarnation d'un sentiment humain ; une évolution psychologique aurait-elle pu fournir un dénouement ? Il préfère ne pas résoudre ce délicat problème (p. 1180).

Avec une virtuosité semblable à celle dont il a fait preuve à propos des trois genres possibles pour traiter le sujet du *Fils naturel* (le genre « moyen », la tragédie, la comédie), Diderot va reprendre un passage de l'*Iphigénie* de Racine de trois façons, mais en restant toujours sur le registre tragique : ce qu'il appelle le « style simple » puis « le style figuré » enfin un troisième qui tenterait « la réunion des avantages des deux styles » (p. 1188), mais qui risque de ne pas parvenir à cet équilibre difficile. Le « style simple » vers qui vont toutes les sympathies de Dorval, est exposé avec précision. Diderot reprend une tirade de Clytemnestre dans l'acte IV, scène 4. Le musicien traitera le début de la tirade en « récitatif obligé », où les paroles non chantées mais rythmées seront interrompues par des « ritournelles », c'est-à-dire des passages d'orchestre, puis démarrera le grand air : « Barbares, arrêtez. » Il s'agit là d'une structure tout à fait habituelle à l'opéra où le grand air est le plus souvent précédé d'un récitatif ; la nouveauté n'est pas d'ordre formel, elle résiderait plutôt dans l'insistance avec laquelle Diderot décrit l'état du compositeur qui, au moins au moment de la composition, ne garderait pas de distance envers son sujet : « Il se remplira de la douleur, du désespoir de Clytemnestre ; il ne commencera à travailler que quand il se sentira pressé par les images terribles qui obsédaient Clytemnestre » (p. 1187).

Dans ce que Diderot appelle le « style figuré », le musicien « fera exécuter par la voix, ce que l'autre a réservé à l'instrument ». Mais la « véritable déclamation » ne saurait s'appuyer sur les mots « lancer », « gronder », « trembler » : si l'on rapproche ce texte du *Neveu de Rameau*[1], on verra facilement à qui fait allusion Diderot : à Rameau « de qui nous avons un certain nombre d'opéras où il y a de l'harmonie, des bouts de chants, des idées décousues, du fracas, des vols, des triomphes, des lances, des gloires, des murmures, des victoires à perte d'haleine »[2]. L'allusion se précise avec le second exemple que donne Diderot à partir d'un passage de la même scène d'*Iphigénie*, et toujours de Clytemnestre dont il divise la tirade de la même façon en « récitatif obligé » précédant l' « air » (p. 1188).

Pas plus que pour la danse, l'originalité de Diderot en ce qui concerne la scène lyrique ne se marque dans les thèmes. Sa réforme semble même encore moins audacieuse, dans la mesure où il ne renonce pas aux sujets nobles et à la versification. On peut s'étonner que les *Entretiens* n'abordent pas la question de l'opéra bouffe qui a fait les délices des Philosophes, genre qui mêlait le texte parlé et le texte chanté, qui mettait en scène les mêmes classes sociales que le « genre moyen » : des bourgeois. Diderot a visiblement voulu écarter tout retour à la querelle déjà ancienne autour de la *Serva Padrona,* il ne retient du *Devin du Village* que le point de départ d'une chorégraphie. L'opéra bouffe ne répondait pas, il est vrai, à la notion de « tragédie domestique », et relevait de la comédie, avec cependant cette note de tendresse qui plaira tant à Stendhal chez Cimarosa et chez Pergolèse.

Cependant au moment où Diderot écrit les *Entretiens,* un genre est en train de naître en France : l'opéra-comique qui

1. Comme le fait L. Versini, p. 1188, n. 1.
2. *Le Neveu de Rameau*, B, t. II, p. 625.

répondrait mieux au « genre moyen », et recherchera de plus en plus l'attendrissement sensible. Diderot en fera l'éloge dans *Le Neveu de Rameau*. Or les historiens de la musique datent de 1753 et des *Troqueurs* de Dauvergne le départ de l'opéra-comique. C'est justement une œuvre de Dauvergne que « Lui », à la fin du *Neveu de Rameau* ira voir à l'opéra. Hommage ambigu, car « Lui » concède : « Il y a d'assez belles choses dans sa musique ; c'est dommage qu'il ne les ait pas dites le premier. »[1] Il s'agit vraisemblablement non des *Troqueurs,* mais d'*Hercule mourant* (1761) qui n'est pas un opéra-comique. Quoi qu'il en soit, il n'est pas question de l'opéra-comique dans les *Entretiens* : au moment où il rédige les *Entretiens,* ce genre n'a pas encore atteint le développement qu'il va connaître dans les années qui suivent ; il est en train de prendre son essor[2]. *Le Peintre amoureux de son modèle* de Duni remporte un grand succès en 1758, *Blaise le savetier* de Philidor est de la même année. Mais c'est davantage avec son *Ernelinde* (1773) qu'il tendra vers le « genre moyen », et l'œuvre de Grétry ne se développe qu'à la fin des années 1760 (*Lucile,* 1769). Diderot, dans *Le Rêve de d'Alembert,* le cite comme exemple du génie musical[3]. Dans *Le Neveu de Rameau,* le neveu se montrera enthousiaste du *Peintre amoureux de son modèle* de Duni qui lui semble devoir détrôner l'oncle, le grand Rameau[4]. Et il fait remarquer à « Moi » : « À votre avis, seigneur philosophe, n'est-ce pas une bizarrerie bien étrange qu'un étranger, un Italien, un Duni, vienne nous apprendre à donner de l'accent à notre musique, à assujettir notre chant à tous les mouvements, à toutes les mesures, à tous les intervalles, à toutes les déclamations, sans blesser la prosodie ? »[5]

Ce passage vient, dans *Le Neveu,* après un exemple tiré de *Phèdre,* comparable à celui que les *Entretiens* tiraient d'*Iphigénie.*

1. B, t. II, p. 695.
2. Sur l'histoire de l'opéra-comique voir « Que sais-je ? », n° 278.
3. *Le Rêve de d'Alembert,* GF, p. 147.
4. B, t. II, p. 675.
5. B, t. II, p. 680, sur Duni, voir p. 675.

Ce qui attirera Diderot dans l'opéra-comique, et chez cette génération de « jeunes musiciens »[1] qu'il ne connaîtra vraiment que peu après les *Entretiens,* ce n'est pas tant le choix des sujets, que l'adéquation entre la musique et l'accent prosodique, adéquation qui pourrait aussi bien être réalisée à partir d'un texte de Racine. Ces pages des *Entretiens* sur la scène lyrique ne tendent donc pas à définir un genre vraiment nouveau et « moyen » pour l'opéra ; leur intérêt se situe essentiellement dans une réflexion plus générale sur la déclamation et l'accent, sur les correspondances entre les arts.

Un théâtre total

Pour comprendre toute l'importance de cette réflexion, il faut se reporter à un texte antérieur, la *Lettre sur les sourds et muets* (1751), texte fondateur de l'esthétique de Diderot. Désirant sortir de vaines querelles sur la « belle nature », Diderot propose : « Je vais m'amuser sur un seul exemple de l'imitation de la nature dans un même objet, d'après la poésie, la peinture et la musique. » Il part des vers de Virgile décrivant Didon mourante, y ajoute deux vers de Lucrèce et compose – de façon encore beaucoup plus précise que dans les *Entretiens* puisqu'il donne beaucoup de détails sur l'enchaînement des intervalles et des accords – la musique qui conviendrait ; il prête alors à la mourante des paroles : « Je me meurs ; à mes yeux le jour cesse de luire » pour lesquelles il trace une portée avec une mélodie et une harmonie (t. IV, p. 44-45). La gravure que Franz Van Mieris a faite pour l'édition de Lucrèce donne la traduction plastique de la scène. Diderot compose, en quelque sorte, une scène d'opéra, en attendant *Les Troyens* de Berlioz, pour appuyer sa démonstration : chaque art possède son système de « hiéroglyphes », c'est-à-dire sa sémiotique propre, mais il est possible de comparer « des hiéroglyphes de la poésie, de la pein-

1. B, t. II, p. 673.

ture et de la musique » (p. 49). Avec les *Entretiens,* il va encore plus loin, il ne s'agit pas seulement d'une comparaison, mais d'une réalisation d'un opéra qui montrerait de façon évidente cette correspondance des arts. Dans la *Lettre sur les sourds et muets,* Diderot proposait un programme théorique : « Rassembler les beautés communes de la poésie, de la peinture et de la musique, en montrer les analogies, expliquer comment le poète, le peintre et le musicien rendent la même image, saisir les emblèmes fugitifs de leur expression, examiner s'il n'y aurait pas quelque similitude entre ces emblèmes, etc., c'est ce qui reste à faire » en complément au livre de l'abbé Batteux, *Des beaux-arts réduits à un même principe* (p. 43). Mais mieux encore qu'un parallèle théorique, l'opéra offre la possibilité de réaliser cette synthèse dans une œuvre d'art.

Qu'il s'agisse de Virgile, de Lucrèce ou de l'*Iphigénie* de Racine, on voit que, comme le fait remarquer P. Szondi, « Diderot n'a jamais donné sa préférence exclusive aux sujets contemporains »[1]. Pour ce qui est de la scène lyrique quand elle est tragique, on constate même une prédilection pour les sujets antiques, prédilection qui pourrait étonner de la part d'un esprit si tourné vers la modernité et qui, par ailleurs, demande que le « genre moyen » au théâtre parlé prenne ses thèmes dans la vie de tous les jours. Pourquoi alors cette nostalgie du théâtre antique ? Diderot y voit le modèle même de l'opéra. Il reviendra à cette question dans *De la poésie dramatique* : si l'on remonte aux diverses étapes de la Querelle des Anciens et des Modernes, les partisans des Anciens, en particulier Boileau, ont condamné l'opéra en prétendant que l'Antiquité classique ne l'avait pas connu. L'opéra fut au contraire ardemment défendu par les partisans des Modernes, ainsi Fontenelle. On peut voir une attaque contre Boileau dans le propos de Diderot : « Un de nos premiers critiques se trompa. Il dit : "Les Anciens n'ont point eu d'opéra, donc l'opéra est un mauvais genre." Plus

1. P. Szondi, *op. cit.,* p. 54.

circonspect ou plus instruit, il eût dit peut-être : "Les Anciens n'avaient qu'un opéra, donc notre tragédie n'est pas bonne" » (p. 1280). Tout en mettant en doute dans ce même passage, la nécessité de recourir toujours à des modèles, Diderot n'en évoque pas moins à maintes reprises le théâtre antique dans lequel il voit une forme d'opéra, comme le pensèrent les artistes de la Renaissance qui le créèrent ou le recréèrent à Florence au XVe siècle, comme le pensait Monteverdi, comme le croyaient Baïf et les écrivains de la Pléiade. Grimm et les Encyclopédistes partagent la conviction de Diderot. Le théâtre antique était un opéra, les paroles étaient soutenues par la musique, les chœurs étaient chantés. Ce théâtre lyrique chez les Anciens découlait de leur conception même de la musique : en grec et en latin, « le terme de musique comprend non seulement l'art qu'il désigne dans notre langue, mais encore celui du geste, la danse, la poésie et la déclamation », affirme Condillac dans l'*Essai sur l'origine des connaissances humaines*[1]. La nostalgie du théâtre antique chez Diderot et chez les philosophes des Lumières est une aspiration à un théâtre total qui réunirait tous les arts, et que l'opéra devrait réaliser. On sent ce programme même dans la définition de l'opéra que donne Rousseau dans son *Dictionnaire de musique,* sur un ton cependant qui suggère que cet idéal est loin d'être réalisé encore. « Spectacle dramatique ou lyrique où l'on s'efforce de réunir tous les charmes des Beaux-Arts, dans la représentation d'une action passionnée [...]. Les parties constitutives d'un Opéra sont le Poème, la Musique et la Décoration. Par la Poésie on parle à l'esprit, par la Musique à l'oreille, par la Peinture aux yeux. » Rousseau néglige la danse que Diderot n'aurait garde d'oublier, nous l'avons vu.

Le théâtre-opéra de l'Antiquité s'adressait à un large public, la langue, avec ses accents marqués, pouvait s'entendre dans les vastes amphithéâtres : « Nous avons conservé

---

1. Condillac, *Essai sur l'origine des connaissances humaines, OC,* 1798, t. I, p. 352.

des Anciens l'emphase de la versification qui convenait à des langues à quantité forte et à accent marqué, à des théâtres spacieux, à une déclamation notée et accompagnée d'instruments ; et nous avons abandonné la simplicité de l'intrigue et du dialogue, et la vérité des tableaux » (p. 1156). Les Encyclopédistes ont souligné très fortement le rapport qui existe entre une certaine forme théâtrale et le régime politique. Dorval déplore : « Il n'y a plus, à proprement parler, de spectacles publics. Quel rapport entre nos assemblées au théâtre dans les jours les plus nombreux, et celles du peuple d'Athènes ou de Rome ? Les théâtres anciens recevaient jusqu'à quatre-vingt mille citoyens » (p. 1156). Dans l'article « Poème lyrique » de l'*Encyclopédie,* Grimm exprimera très nettement ce même rapport de l'esthétique au politique : les chœurs n'étaient possibles que parce qu'ils exprimaient la volonté générale d'un peuple libre, ils n'ont plus de sens sous une monarchie.

Le « genre moyen » – Diderot n'emploie pas dans les *Entretiens* le terme de « drame bourgeois » et ce qu'il définit n'est d'ailleurs pas exactement ce que réaliseront Sedaine, Beaumarchais, S. Mercier – ne peut être un opéra ; le recours à la prose, le choix des sujets semblent tracer une frontière qui n'est pas encore franchie, et que franchissent l'opéra-comique et au XIXᵉ siècle l'opéra réaliste de Verdi, de Puccini, ou de Chabrier dans *Louise.* En quoi cependant cette réflexion sur l'opéra est-elle nécessaire à l'analyse du *Fils naturel* ? Le théâtre parlé est proche du chant dans la mesure où ils doivent tendre à reproduire l'accent de la passion. Clairville pousse « l'accent inarticulé du désespoir » (p. 1102). La Dumesnil est la comédienne à qui il convient de faire déclamer l'air « Barbares ; barbares, arrêtez » (p. 1187) : « Qu'on abandonne ces vers à Mlle Dumesnil ; voilà, ou je me trompe fort, le désordre qu'elle y répandra ; voilà les sentiments qui se succéderont dans son âme ; voilà ce que son génie lui suggérera ; et c'est sa déclamation que le musicien doit imaginer et écrire. Qu'on en fasse l'expérience ; et l'on verra la nature ramener l'actrice et le musicien sur les mêmes idées » (p. 1187). Inversement, dans les *Leçons de clavecin et Principes de l'harmonie*, Diderot recommandera à la jeune claveciniste, de mettre sur son pupitre un livret de Métastase et de s'efforcer de le déclamer pour trouver l'accent juste du phrasé musical. Il existe un lien fondamental entre déclamation et musique.

D'autre part, la réforme de la danse que préconise Diderot correspond à l'importance qu'il veut donner à la pantomime dans le théâtre parlé, et sur ce point encore le ballet proposé par Diderot pour mieux terminer *Le Devin du Village* apporte une brillante conclusion aux considérations sur *Le Fils naturel*. L'accent et le mouvement sont étroitement liés : « L'intonation et le geste se déterminent réciproquement », affirme Dorval. Et « Moi » d'observer : « Mais l'intonation ne peut se noter, et il est facile d'écrire le geste » (p. 1146) ; l'auteur dramatique n'a pas à sa disposition cette écriture musicale parfaite (quoiqu'en ait dit Rousseau) qui est celle du XVIIIe siècle ; il ne possède pas non plus une écriture du geste comparable à celle qui est en train de se constituer pour la chorégraphie ; comment pourra-t-il indiquer le geste et l'accent ? les didascalies seront d'un plus grand secours pour les gestes que pour l'accent. C'est alors que le dramaturge devra faire pleine confiance à l'acteur, et à sa sensibilité : « Heureusement une actrice d'un jugement borné, d'une pénétration commune, mais d'une grande sensibilité, saisit sans peine une situation d'âme, et trouve sans y penser l'accent qui convient à plusieurs sentiments différents qui se fondent ensemble, et qui constituent cette situation que toute la sagacité du philosophe n'analyserait pas » (p. 1146). Diderot ne distingue pas encore, comme il fera dans le *Paradoxe du comédien* et dans le *Rêve de d'Alembert,* deux types de sensibilité et n'évoque pas ici la distanciation que le comédien doit garder devant une sensibilité qui serait purement issue du « diaphragme ». Les *Entretiens* sont un hymne à la gloire de la sensibilité de l'acteur, cette sensibilité qui lui permet de trouver l'accent des diverses passions impossibles à noter. « La voix, le ton, le geste, l'action, voilà ce qui appartient à l'acteur ; et c'est ce qui nous frappe, surtout dans le spectacle des grandes passions. C'est l'acteur qui donne au discours tout ce qu'il a d'énergie » (*Second Entretien*, p. 1145).

Le théâtre lyrique peut donc servir de modèle non seulement au dramaturge, mais au comédien également. Le chanteur et l'acteur ont des techniques, des apprentissages différents, et il est très difficile à un même individu d'être à la fois comédien et chanteur. Cependant le jeu de l'acteur lyrique pourra inspirer le comédien, car il est encore plus énergique plus vrai que celui de l'acteur dramatique[1] : la musique permet en effet de retrouver plus directement ce cri qui est la nature même et que la déclamation doit s'efforcer de rendre, « le cri animal ou de l'homme passionné »[2].

La musique fournit encore une autre leçon utile à l'acteur : l'art de l'improvisation, art que la *commedia dell'arte* a beaucoup exploité, le théâtre de la Foire également, mais que la Comédie-Française, respectueuse du texte comme d'un absolu, refuse. Or, dans la musique, cette part de l'improvisation laissée à l'exécutant est grande encore au XVIIIe siècle : la première partie de la sonate se termine par une cadence qu'il improvise, par exemple ; tout instrumentiste doit être capable d'improviser. Diderot préconise qu'on donne au comédien cette possibilité de créer et de suivre son inspiration. Dorval, de la même façon, a laissé aux personnages du *Fils naturel* une marge de liberté où ils retrouvent spontanément l'accent de la nature.

Dans les *Entretiens* aussi, il improvise ; les points de suspension, les moments d'arrêt de sa parole traduisent la recherche de qui invente au fur et à mesure. La conversation est une forme d'improvisation dont Diderot connaît mieux que personne la fécondité et dont *Le Neveu de Rameau* apportera l'éclatante démonstration. Dès les *Entretiens* s'établit une correspondance, qui est bien le signe des grands textes, entre les idées exprimées et la forme même : les *Entretiens* appa-

---

1. Cf. J. Chouillet, *Diderot poète de l'énergie*, p. 35.
2. *Le Neveu de Rameau*, B, t. II, p. 680.

raissent comme une parole en liberté, comme une vaste improvisation musicale. L'analogie peut être poursuivie. Comme si les trois *Entretiens* constituaient trois actes d'un opéra, Diderot prend soin de montrer au lecteur les changements de décor, particulièrement au début du deuxième et du troisième entretien : « Le lendemain, je me rendis au pied de la colline. L'endroit était solitaire et sauvage. On avait en perspective quelques hameaux répandus dans la plaine » (p. 1141). « Le lendemain, le ciel se troubla ; une nue qui amenait l'orage, et qui portait le tonnerre, s'arrêta sur la colline, et la couvrit de ténèbres » (p. 1165). Ces décors sont conformes à ceux que préconise Grimm dans l'article « Poème lyrique » qui exprime clairement les idées du groupe de l'*Encyclopédie* et de son directeur sur l'opéra : que le décorateur renonce à montrer « un jardin enchanté, un palais de fée, un temple aérien » ; qu'il leur préfère « un beau paysage ». Cependant il serait dangereux de vouloir, à l'aide de machines, représenter des tempêtes et des orages, mieux vaut montrer ces bouleversements de la nature « dans le cœur des acteurs que dans le lieu qu'ils occupent » : la fin du premier entretien nous en fournirait un exemple, où les sentiments de Dorval marquent les modifications du paysage : « Voyez comme les ombres particulières s'affaiblissent à mesure que l'ombre universelle se fortifie... Ces larges bandes de pourpre nous promettent une belle journée... Voilà toute la région du ciel opposée au soleil couchant, qui commence à se teindre de violet... On n'entend plus dans la forêt que quelques oiseaux, dont le ramage tardif égaye encore le crépuscule... Le bruit des eaux courantes, qui commence à se séparer du bruit général, nous annonce que les travaux ont cessé en plusieurs endroits, et qu'il se fait tard » (p. 1141) : Dorval chante là un beau récitatif mesuré puis un air bien préférable à tous les effets naïfs d'harmonie imitative que pourrait exécuter un orchestre, bien préférable aussi à tout ce que les machines pourraient permettre de montrer au spectateur. Dès lors les diverses ébauches de versions possibles pour *Le Fils naturel,* le ballet des deux petits paysans, la scène de la douleur de Clytemnestre apparaissent comme des effets de théâtre à l'intérieur d'une œuvre théâtrale plus vaste que seraient les *Entretiens,* œuvre qui pourrait bien être du registre lyrique.

Dans sa réflexion sur la scène lyrique comme lieu où toutes les formes de théâtre pourraient être convoquées, Diderot développe donc les aspects fondamentaux de son esthétique théâtrale : retrouver l'accent de la passion, utiliser le corps et la pantomime, moyen puissant d'expression, laisser au comédien une part d'improvisation. Ce *Troisième Entretien* n'est pas seulement riche de toute une réflexion sur le théâtre, il constitue lui-même une scène d'opéra, avec des changements de décor, avec une gestuelle de Dorval, avec cette part d'improvisation dans la conversation qui l'apparente à la *commedia dell'arte* et à l'opéra bouffe.

Après le Fils naturel *et les* Entretiens

Les *Entretiens* annonçaient *Le Père de famille* comme un pendant nécessaire au *Fils naturel* : « *Le Père de famille* prendra une teinte comique » (p. 1190). Il est accompagné, comme l'était *Le Fils naturel,* d'un commentaire théorique : *De la poésie dramatique.* Les deux textes ont été composés entre février et mai 1758 et paraissent début novembre, après que Diderot, une lettre à Malesherbes du 20 octobre 1758 en témoigne, ait accepté d'opérer certaines corrections demandées par la censure, tout en plaidant pour le maintien de la scène de malédiction paternelle et l'usage du mot « Dieu »[1]. *Le Père de famille* et *De la poésie dramatique* ont donc été composés et publiés peu de temps après *Le Fils naturel* et les *Entretiens* dans une période de grande fécondité théâtrale. Cependant ils sont très différents, ils constituent plutôt un pendant, qu'un prolongement. *Le Père de famille* incline-t-il vraiment vers le comique ? On peut en discuter. Il annonce

1. B, t. V, p. 75-76.

en tout cas plus nettement le drame de Beaumarchais et de Mercier que ne le faisait *Le Fils naturel* qui, peut-être plus composite, plus riche de virtualités, semblait difficile à prolonger. De même *De la poésie dramatique,* s'il abonde d'idées, ne présente pas une forme aussi originale que celle des *Entretiens* : Diderot y adopte le genre plus rigoureux du traité (subdivisé en chapitres, précédés d'un sommaire) et non la liberté d'une conversation, quoique le dialogue soit toujours prêt à affleurer, lorsque Diderot suppose des objections[1], et que s'y insère aussi une scène nouvelle du *Père de famille*[2] et un fragment de « La mort de Socrate » que projette Diderot[3]. Dans le jaillissement perpétuel de son imagination créatrice, Diderot cependant n'est pas homme à reprendre les voies qu'il s'est déjà tracées : *Le Père de famille* et *De la poésie dramatique* ouvrent d'autres chemins que *Le Fils naturel* et les *Entretiens* ; *Le Paradoxe sur le comédien* et *Est-il bon ? Est-il méchant ?* proposeront encore d'autres voies au théâtre ; certes, il y a des constantes, des reprises que la critique a eu tendance à souligner ; peut-être faudrait-il montrer aussi que les voies nouvelles ouvertes par Diderot pour le théâtre sont multiples et ne sauraient s'enfermer dans une définition trop fermée du « drame » – mot dont il ne servit jamais pour sous-titrer ses œuvres théâtrales : après avoir utilisé le terme de « comédie » pour *Le Fils naturel* et *Le Père de famille,* il renoncera à toute indication générique pour caractériser sa dernière pièce, *Est-il bon ? Est-il méchant ?*

L'absence de représentation pour *Le Fils naturel* en 1757, les attaques dont la pièce fut l'objet expliquent-elles que la pièce et les *Entretiens* aient eu moins de continuateurs que *Le Père de famille* ? L'explication n'est pas suffisante, me semble-t-il. *Le Fils naturel* était plus difficile à imiter, du moins sans tomber dans le larmoiement ou le mélodrame, en demeurant dans cet équilibre que Diderot a su maintenir non sans

---

1. B, t. IV, p. 1282, 1295, 1296, 1297, 1302, 1307, 1310, etc.
2. B, t. IV, p. 1319-1320.
3. B, t. IV, p. 1339 et sq.

risques et grâce à tout ce qui entoure la pièce proprement dite. Le jaillissement de la conversation qui caractérise les *Entretiens* appartient en propre à Diderot, tandis que bien d'autres ont pu écrire des traités d'art dramatique.

Le Fils naturel et les *Entretiens* qui sont indissociables nous apparaissent donc essentiellement comme des œuvres expérimentales avec la beauté et une certaine solitude qui est le lot de toute expérimentation. On m'opposera bien entendu *Le philosophe sans le savoir* (1756) de Sedaine, *La brouette du vinaigrier* (1775) de Mercier, *Les Deux Amis* (1770) de Beaumarchais, tant de drames écrits en cette fin du XVIIIe siècle en France et en Allemagne ; à quoi je répondrai que ces œuvres me semblent davantage dans la continuation du *Père de famille*. Ce serait peut-être *La Mère coupable* (1792) de Beaumarchais qui serait la descendante la plus convaincante du *Fils naturel*, et pas seulement par la présence du thème de la bâtardise. Mais en trente ans, la vie et la littérature ont bien changé, la Révolution est intervenue qui a donné à la pièce de Beaumarchais une pesanteur que n'avait pas *Le Fils naturel*.

Une mise en scène
de la matière

Le Rêve de d'Alembert

Diderot de 1757 à 1769

Douze ans séparent *Le Fils naturel* et les *Entretiens sur le Fils naturel* de l'*Entretien entre d'Alembert et Diderot,* du *Rêve de d'Alembert* et de la *Suite de l'Entretien.* Douze années fort remplies, où Diderot a dû affronter maintes difficultés : l'*Encyclopédie* a été très menacée, ses ennemis tels Fréron ou Chaumeix (*Préjugés légitimes contre l'Encyclopédie,* 1758-1759) se déchaînent. Le Parlement suspend l'*Encyclopédie,* impose la révision des sept volumes parus ; l'ouvrage est mis à l'index. En 1759, Diderot est même menacé d'arrestation ; aucun tome n'a pu paraître de 1758 à 1766. Un arrêt du Conseil du roi a ordonné la restitution de 72 livres à tout souscripteur. Sans Malesherbes qui accorde un privilège pour la publication des Planches et annule ainsi l'obligation de restitution de la souscription, la catastrophe était complète. Fréron accuse l'*Encyclopédie* de plagier les planches de Réaumur, mais une commission chargée de les examiner conclut qu'il n'y a pas de plagiat. En septembre 1761 commence l'impression clandestine des derniers volumes de textes de l'*Encyclopédie.* Nouveau drame en 1764, lorsque Diderot s'aperçoit que Lebreton a censuré lui-même les dix derniers volumes de l'*Encyclopédie.* En septembre 1765, il rédige l'Avertissement du tome VIII ; en décembre, l'impression des derniers volumes se termine ; portant l'adresse d'un libraire de Neuchâtel, ils sont distribués en France en janvier 1766. Diderot peut se sentir soulagé : il a mené à bien l'entreprise si difficile de l'*Encyclopédie*.

Il a perdu un certain nombre d'amis. D'Alembert s'est retiré de la direction, ses rapports avec Diderot sont devenus difficiles. Rousseau a réagi violemment à l'article « Genève » (1757), et a cru voir une allusion perfide à sa solitude dans *Le Fils naturel*. Les tentatives de rapprochement que fait Diderot échouent. La mort a privé Diderot de son père (juin 1759), et, pris par la tourmente de l'*Encyclopédie,* il n'a pu se rendre à son chevet. Cependant ces années 1757-1769 ont permis à Diderot d'élargir le cercle de ses amitiés, en particulier lors de nombreux séjours au Grandval chez le baron d'Holbach. Avec le « père » Hoop, avec Galiani, Diderot se sent des affinités électives. Et ces années sont marquées par sa passion pour Sophie Volland : la première lettre conservée de cette correspondance qu'il entretient avec elle remonte à mai 1759.

L'activité créatrice de Diderot a été intense. De nombreuses ébauches de pièces de théâtre naissent alors : *Le Juge de Kent, Mme de Linan, La Mort de Socrate*, etc. Il adapte *Le Joueur* de Moore (cf. *supra*). *Le Père de famille* rencontre une grande audience, surtout en province (la province fut en général plus réceptive au « drame » que Paris), à Toulouse, à Bordeaux, à Marseille et à Lyon. Il est enfin donné par la Comédie-Française avec succès en février 1761, repris en août 1769. Diderot songe à publier un recueil de ses œuvres dramatiques, mais le projet n'aboutira pas.

En 1760, il commence la rédaction de *La Religieuse* ; il lit beaucoup de romans anglais et rédige l'*Éloge de Richardson* en 1761 (publié dans *Le Journal étranger* en 1762). Il écrit la « satire première », travaille au *Neveu de Rameau*, « satire seconde ». En 1765, il a lu la fin de *Tristram Shandy* et commencé *Jacques le Fataliste* qui s'alimente aussi d'anecdotes entendues au Grandval dans les années qui précèdent. Il écrit également un conte : *Mystification* en 1768. Pour rester secrète, cette activité romanesque n'en est pas moins très intense pendant ces douze années

Un autre domaine où l'écriture de Diderot s'étend, c'est celui des arts plastiques. En 1759, 1761, 1763, 1765, 1767, 1769, etc., tous les deux ans, Diderot rend compte du Salon de peinture pour la *Correspondance littéraire*. Les *Salons* sont de plus en plus développés, riches de considérations personnelles et d'une connaissance picturale accrue : le *Salon de 1765* se prolonge par les *Essais sur la peinture*. Le « Moi » de Diderot y est de plus en plus présent. Le *Salon de 1769* commence par des « Regrets sur ma vieille robe de chambre ». La correspondance avec Falconet, les recherches d'œuvres d'art pour Catherine II sont aussi à rattacher à cette activité de Diderot critique d'art.

Il est artificiel d'établir des catégories dans l'œuvre de Diderot : tout est philosophie, tout est politique ; cependant à cette période appartiennent des textes qui s'affichent davantage dans ces registres. Fin 1762, une « Addition » aux *Pensées philosophiques* ; en octobre 1763, la *Lettre sur le commerce de la librairie* qui ne sera pas publiée du vivant de Diderot. En 1765, Raynal demande à Diderot de collaborer à l'*Histoire des deux Indes*. Inaugurée en 1766, cette participation ne cessera de s'étendre de la première édition (1770) à la troisième.

Composition du Rêve de d'Alembert :
histoire du texte

On peut dater assez précisément la composition de ces trois textes que l'on a pris l'habitude de réunir sous le titre commun de *Rêve de d'Alembert,* et une fois de plus on est impressionné par la rapidité de l'écriture, par la force de conception qui s'y manifestent. L'*Entretien entre d'Alembert et Diderot* fut écrit vers le 10 août 1769 ; *Le Rêve de d'Alembert* entre le 15 août et le 5 septembre ; la *Suite de l'Entretien* dans la première semaine de septembre. La Correspondance fournit de précieux renseignements, sans, évidemment, pouvoir nous faire vraiment pénétrer dans toutes les arcanes de la création.

Diderot écrit de Paris à Sophie Volland le 31 août 1769 : « Je vis beaucoup dans ma robe de chambre. Je lis, j'écris [...]. Je ne vois personne, parce qu'il n'y a plus personne à Paris [...]. J'ai fait un dialogue entre d'Alembert et moi. Nous y causons assez gaiement et même assez clairement, malgré la sécheresse et l'obscurité du sujet. À ce dialogue il en succède un second, beaucoup plus étendu qui sert d'éclaircissement au premier. Celui-ci est intitulé *Le Rêve de d'Alembert*. Les interlocuteurs sont d'Alembert rêvant, Mlle de l'Espinasse, l'amie de d'Alembert, et le Dr Bordeu. Si j'avais voulu sacrifier la richesse du fond à la noblesse du ton, Démocrite, Hippocrate et Leucippe auraient été mes personnages ; mais la vraisemblance m'aurait renfermé dans les bornes étroites de la philosophie ancienne, et j'y aurais trop perdu. Cela est de la plus haute extravagance et tout à la fois de la philosophie la plus profonde. Il y a quelque adresse à avoir mis mes idées dans la bouche d'un homme qui rêve. Il faut souvent donner à la sagesse l'air de la folie afin de lui procurer ses entrées. J'aime mieux qu'on dise : mais cela n'est pas si insensé qu'on croirait bien, que de dire : Écoutez-moi, voici des choses très sages. »[1] On voit qu'il n'est pas encore question de la « Suite de l'entretien », mais cette lettre est un commentaire si riche de l'œuvre que nous aurons à nous y référer plus d'une fois.

Dans une lettre à Mme de Maux, nouvelle liaison qui n'empêche pas l'amitié amoureuse avec Sophie de se poursuivre, Diderot écrit, début septembre, une lettre qui laisse à penser qu'il lui a déjà lu le premier dialogue ; il juge *Le Rêve* bien meilleur, « beaucoup plus varié et plus profond » ; cette lettre confirme que Diderot avait d'abord songé à un dialogue entre Démocrite, Hippocrate et Leucippe. Le 11 septembre, Diderot écrit à Sophie Volland à propos du

---

1. B, t. V, p. 968-969.

Rêve : « Il n'est pas possible d'être plus profond et plus fou », et lui annonce la *Suite de l'Entretien* : « J'y ai ajouté après coup cinq ou six pages capables de faire dresser les cheveux à mon amoureuse, aussi ne les verra-t-elle jamais ; mais ce qui va bien vous surprendre, c'est qu'il n'y a pas un mot de religion, et pas un seul mot déshonnête ; après cela, je vous défie de deviner ce que ce peut être. »[1]

Sophie a dû demander à lire le texte ; mais les lettres de Sophie ont été détruites et nous ne les connaissons que par celles de Diderot. Le 1er octobre 1769, il lui répond : « Ce dialogue entre d'Alembert et moi, eh ! comment diable voulez-vous que je vous le fasse copier ? C'est presque un livre. Et puis je vous l'ai dit, il faut un commentateur. »[2] Dans une lettre écrite du Grandval à Mme de Maux en novembre 1769, Diderot parle des dialogues et fait l'éloge de la sensibilité, c'est le cœur qui « lie les idées ». Une lettre à Grimm du 10 novembre prouve qu'il lui a prêté le texte, et qu'il y tient fort : il veut en faire la lecture à Pasquier et y ajouter « la petite addition intercalée ». Après quoi il les restituera à Grimm qui attendra 1782 pour les diffuser dans la *Correspondance littéraire*.

En effet, Diderot avait lu son texte à Grimm dès le 13 octobre et en avait fait une lecture au Grandval fin octobre ; au Grandval, il se heurta à l'incompréhension ; mais la nouvelle circula et Suard, probablement, prévint d'Alembert qui demanda la destruction du manuscrit. Diderot ne fit que simuler un autodafé. Et il y avait déjà une copie entre les mains de Grimm que les réactions violentes de d'Alembert amenèrent à différer la publication. Ces réactions peuvent s'expliquer par diverses raisons ; le mathématicien rigoureux était horrifié par ce qui devait lui sembler des divagations dans l'univers de la biologie ; l'homme dis-

---

1. B, t. V, p. 970 et 974. « Mon amoureuse », d'après L. Versini, désignerait Mme de Blacy, sœur de Sophie, peut-être maîtresse de Diderot en 1767.
2. B, t. V, p. 980.

cret pouvait aussi être gêné par la façon dont sa liaison avec Mlle de Lespinasse était mise en scène ; enfin depuis son retrait de la direction de l'*Encyclopédie*, ses rapports avec Diderot s'étaient distendus.

L'histoire même de la publication de l'œuvre est bien caractéristique. Diderot ne la publie pas de son vivant. Comme ses œuvres les plus audacieuses, comme *Jacques le Fataliste*, l'œuvre ne connaît d'abord qu'une diffusion restreinte et manuscrite par la *Correspondance littéraire*. Le premier éditeur des œuvres « complètes » de Diderot ne publia pas ce *Rêve* qui dut le déconcerter : Naigeon possédait pourtant une copie de sa propre main que Jean Pommier a découverte dans une collection privée[1]. La première publication du *Rêve* ne date que de 1830, elle fut faite par Paulin d'après une copie de l'Ermitage. Le fonds Vandeul possède l'autographe (et deux copies « caviardées »). La Bibliothèque nationale détient la copie de la *Correspondance littéraire*. P. Vernière a publié l'autographe ; J. Varloot la copie de Pétersbourg qui semble avoir été revue par Diderot ultérieurement à la révision de l'autographe, mais comporte des fautes. Aussi L. Versini a-t-il préféré donner, comme P. Vernière, une édition à partir de l'autographe[2]. L'édition GF (1965) suit également l'édition des Classiques Garnier donnée par P. Vernière, donc la version de l'autographe, mais sans l'apparat critique que l'on trouve chez P. Vernière. On se reportera à l'édition Hermann (DPV) qui présente le dernier état des diverses questions que pose le texte, avec de nombreuses notes et de précieux appendices[3].

---

1. Cf. DPV, t. XVII, p. 27. Cf. *RHLF,* 1952, p. 25-47 et L. Versini, B, t. I, p. 609-610.
2. B, t. I, p. 610.
3. Édition Hermann (DPV) des Œuvres de Diderot, t. XVII.

La conversation et le rêve

Les protagonistes : des êtres vivants

La lettre à Sophie Volland que nous avons citée montre que Diderot avait d'abord songé à un dialogue où les personnages auraient été tirés de l'Antiquité. Une autre lettre destinée à Mme de Maux[1] confirme ce propos. On a eu l'occasion, à propos des *Entretiens sur le Fils naturel,* de souligner cette fascination de Diderot pour l'Antiquité ; elle s'exerce tout autant dans le domaine philosophique que théâtral. Il avait donc d'abord pensé mettre en scène Démocrite, Hippocrate et Leucippe ; les dialogues entre personnages antiques ont permis à toute l'ère classique, au XVIIe et XVIIIe siècles, d'exercer l'art de la rhétorique, et d'exprimer aussi parfois des idées audacieuses. Il est une tradition des Dialogues des morts que Fénelon (*Dialogues des morts,* publ. 1718), Fontenelle (*Nouveaux dialogues des morts,* 1683) et bien d'autres ont illustrée.

L'édition DPV fournit toute une documentation sur ce projet antique[2]. Pourquoi Démocrite d'Abdère, philosophe présocratique du Ve siècle avant J.-C., et le médecin Hippocrate (460 - fin IVe siècle) ? S'ils ne purent historiquement se rencontrer, leur entrevue avait pris une valeur symbolique et

---

1. Cf. G. Roth, *Corr.,* t. XVI, p. 12-13 et DPV, t. XVII, p. 59, n. 1.
2. Cf. J. Varloot, « Le projet antique du *Rêve de d'Alembert* de Diderot », *Beiträge zur romanischen Philologie,* Berlin, 1963, t. II, p. 49-61.

mythique avant que Diderot s'en empare et déjà dans l'article « Éléatique » de l'*Encyclopédie* il y fait allusion. Cet article précédé de l'astérisque est de Diderot[1] : « Son entrevue avec Hippocrate, qu'on avait appelé pour le guérir, est trop connue et trop incertaine, pour que j'en fasse mention ici » ; Diogène Laërce et les *Lettres d'Hippocrate* (apocryphe de l'Antiquité grecque) « présentent un Démocrite fou et un Hippocrate s'étendant surtout sur la folie universelle des hommes »[2]. Dans une lettre à Falconet de mai 1768, Diderot rappelle cet épisode : « Les Adbéritains appelèrent un jour Hippocrate pour guérir Démocrite prétendu fou. » J. Varloot signale encore : « Démocrite était entré dans le répertoire populaire avec *Démocrite prétendu fou* de Jacques Autreau, joué le 1er avril 1730 », « Démocrite y est aimé d'une Sophie que sa sœur appelle "ma sœur philosophe", on comprend que des souvenirs entrecroisés aient pu animer un moment l'imagination de Diderot »[3].

Hippocrate est le symbole même du médecin, à l'origine du fameux serment. Dans une lettre à Tronchin, début mars 1760, Diderot qui lui demande une consultation, lui écrit : « Le philosophe demande ce qu'il faut faire, et Hippocrate peut compter sur sa docilité. »[4] Diderot dans l'article « Héraclitisme » de l'*Encyclopédie* qui reprend, comme dans l'article « Éléatique », l'historien Brucker, pose la question, sans la trancher : « Jusqu'où Hippocrate s'est-il approprié les idées d'Héraclite ? C'est ce qu'il sera difficile de connaître tant que les vrais ouvrages de ce père de la médecine demeureront confondus avec ceux qui lui sont faussement attribués. » Le portrait d'Hippocrate, dans cet article, annonce le personnage de Bordeu : « Cet homme étonnant ne méprisait pas la raison, mais il paraît avoir eu beaucoup plus de confiance dans le témoignage de ses sens et la connaissance

1. Cf. DPV, t. VII, p. 140-141.
2. DPV, t. XVII, p. 60.
3. J. Varloot, DPV, t. XVII, p. 60. Voir G. Roth, *Corr.,* t. VIII, p. 41-42 et B, t. V, p. 824.
4. B, t. V, p. 199.

de la nature de l'homme. Il permettait bien au médecin de se mêler de philosophie, mais il ne pouvait souffrir que le philosophe se mêlât de médecine. »

Leucippe, philosophe matérialiste du Vᵉ siècle avant Jésus-Christ était un homme, et fut le maître de Démocrite. Pourquoi en faire une femme ? Dès la naissance du projet, Diderot a ressenti le besoin d'inscrire une voix féminine, et l'ambiguïté du nom de « Leucippe », tantôt considéré comme un nom d'homme, tantôt comme un nom de femme, annonce peut-être déjà le thème de la bisexualité important dans *Le Rêve*. L'*Encyclopédie*[1] parle avec plus d'exactitude du « maître » de Démocrite. Mais une œuvre clandestine attribuée à l'athée Fréret avait déjà féminisé Leucippe : *Lettre de Thrasybule à Leucippe* (1722). Cette œuvre avait d'abord circulé à l'état de manuscrit ; elle avait été imprimée en 1765, peut-être par d'Holbach, à en croire une lettre de Voltaire[2], et avait fait scandale. Leucippe grande dame romaine, dans le texte de Fréret restait muette ; ce n'est certes pas le cas de Mlle de Lespinasse.

De ce premier projet antique, on trouvera des traces dans le texte définitif que nous avons sous les yeux, en particulier dans les allusions à un dialogue entre Diogène et Laïs, la courtisane, dans les références à Épicure (GF, p. 84), dans une certaine rhétorique, nous y reviendrons. Mais la philosophie que Diderot chargeait ses personnages d'exprimer était trop contemporaine pour que Démocrite, Hippocrate et Leucippe, morts depuis si longtemps puissent, l'exprimer ; il l'a vite senti et l'exprime dans la lettre à Sophie Volland : « La vraisemblance m'aurait renfermé dans les bornes de la philosophie ancienne, et j'y aurais trop perdu. »[3]

Dans une pièce de théâtre, les acteurs peuvent changer. Diderot songera, mais tardivement, à charger de ces rôles des morts récents, technique habituelle aux auteurs qui crai-

1. DPV, t. VII, p. 144.
2. Best. 12148.
3. B, t. V, p. 969.

gnaient la censure (D'Holbach, par exemple, attribue son *Système de la Nature* à Mirabaud, mort dix ans plus tôt et donc définitivement hors des atteintes de la police !). Georges Dulac a découvert une copie de 1774 conservée à Moscou et destinée à Catherine II : Dumarsais, le grammairien de l'*Encyclopédie*, y remplace d'Alembert. Nicolas Boindin tient le rôle de Diderot : c'était un érudit et un dramaturge. Dans l'article « Encyclopédie », Diderot le citait avec Fontenelle, Perrault et quelques autres, comme étant un des rares auteurs encore lisibles dans cette génération d'hommes sous lesquels pourtant « la raison et l'esprit philosophique ou de doute a fait de si grands progrès »[1]. La Mettrie remplace Bordeu : il était aussi un médecin, matérialiste et athée, il est mort en 1751, c'est l'auteur de l'*Histoire naturelle de l'âme* (1745), et de *L'Homme-machine* (1748), manifeste de matérialisme mécaniste qui ne correspond pas d'ailleurs exactement à la philosophie vitaliste de Diderot. Il l'avait cependant loué dans l'article « Accoucheuse » et subit son influence dans les *Éléments de physiologie* (1780) dont certains passages se trouvent dans cette version. Mlle Boucher, double de Mlle de Lespinasse est une inconnue, fille du peintre ?

Ce qui nous retiendra davantage, c'est l'avertissement de 1774, où Diderot en dénonçant combien ces changements d'acteurs sont peu satisfaisants, souligne le caractère théâtral de son œuvre : « En changeant les vrais noms des interlocuteurs, on a encore ôté à ces Dialogues le mérite de la comédie qu'ils avaient ; celui de donner aux personnages les propos de leurs caractères ; en sorte qu'il ne leur est resté ni leur solidité ni leurs agréments primitifs » (DPV)[2]. Donner aux personnages les propos de leurs caractères, c'était exactement le souci de Dorval lorsqu'il faisait parler Rosalie, Constance, Clairville.

A contrario, Diderot souligne la solidité du dialogue et le lien des propos avec le caractère des personnages dans la

1. B, t. I, p. 372.
2. DPV, t. XVII, p. 66.

version de 1769. Ce qui ne signifie pas que les propos tenus par d'Alembert, Bordeu, Mlle de Lespinasse et Diderot correspondent bien à ces êtres réels, mais qu'ils conviennent parfaitement aux personnages qu'il a forgés à partir de ces noms : la part d'invention est tout aussi présente quand Diderot, comme il aime à le faire, met en scène des personnages réels et bien vivants, tels le Neveu de Rameau. Le refus de ces êtres réels de se reconnaître dans le miroir du théâtre est significatif : réaction violente de d'Alembert, choquée de Mlle de Lespinasse si l'on peut lui attribuer ce fragment de lettre non datée : « M. Diderot d'après l'expérience qu'il a devait ce me semble s'interdire de parler ou de faire parler des femmes qu'il ne connaît point. »[1] Les personnages mis en scène par Dorval dans *Le Fils naturel* n'étaient pas non plus satisfaits de l'image d'eux-mêmes que leur renvoyait le théâtre.

La réalité historique

La réalité fournit à Diderot des éléments suffisamment riches pour alimenter cette demi-fiction. Comme Dorval, d'Alembert et Mlle de Lespinasse sont des enfants naturels. Julie était née en 1732, elle a donc trente-sept ans en 1769, elle est encore jeune, mais déjà mûre à une époque où les femmes de l'aristocratie se marient souvent avant vingt ans. Elle était née dans le Forez d'une famille ancienne, mais peu argentée, les Albon. En 1754, Mme Du Deffand sa cousine, la lance dans le monde, grâce à son salon ; ensuite Julie de Lespinasse fonde son propre salon rue Saint-Dominique, qui éclipse celui de sa bienfaitrice.

La liaison de d'Alembert et de Mlle de Lespinasse était connue ; tout en habitant dans la même demeure, ils tenaient à maintenir une certaine distance, par souci des

---

1. DPV, t. XVII, p. 27, n. 4. Voir Y. Belaval, « Les protagonistes du *Rêve de d'Alembert* », *Diderot Studies*, t. III, p. 39, n. 4.

convenances mondaines, ou par désir d'indépendance ; d'Alembert s'était refusé au mariage[1] ; il ne semble pas s'être douté de la passion de Julie pour le marquis de Mora, en 1768. Diderot s'en doutait-il ? C'est peu probable ; il représente Mlle de Lespinasse comme une amie fidèle, et au besoin garde-malade.

D'Alembert ne pardonna jamais à sa mère Mme de Tencin, de l'avoir abandonné sur le parvis de l'église de Saint-Jean-Le-Rond, et se refusa à toutes les tentatives qu'elle fit auprès de lui lorsqu'il était devenu un homme célèbre et recherché par les salonnières. Est-ce ce traumatisme premier ? Il était d'humeur mélancolique et inégale. L'histoire de la collaboration avec Diderot pour l'*Encyclopédie* n'alla pas sans heurt, surtout lorsque d'Alembert décida de se retirer de la direction, avant même sa suppression[2] au moment où Diderot devait affronter les pires difficultés. « Je n'ai pas le bonheur d'avoir une chair qui cicatrise promptement », écrit Diderot à Mme d'Épinay, peut-être n'avait-il pas tout à fait pardonné à d'Alembert ses sautes d'humeur ; il lui avait reproché dix ans plus tôt sa conduite envers les libraires[3] et son lâche abandon au septième volume de l'*Encyclopédie* : d'Alembert se répand « en déraison et en violences ». « L'Encyclopédie n'a point d'ennemi plus décidé que cet homme-là », « ce petit fou. »[4] Dans l'édition de 1759 de ses *Mélanges de littérature, d'histoire et de philosophie,* d'Alembert a pris de nombreux articles qu'il avait écrits pour l'*Encyclopédie*. Ensuite, il acceptera de travailler pour Panckoucke et le *Supplément,* ce que Diderot refuse (juin 1769) ; mais par-delà ces questions éditoriales, des options scientifiques et philosophiques opposaient profondément les deux hommes : nous aurons l'occasion d'y revenir. Diderot se venge-t-il de d'Alembert en faisant divaguer un homme qui avait

---

1. Cf. lettre de d'Alembert à Voltaire du 3 mars 1766.
2. Cf. DPV, t. XVII, p. 68.
3. Mi-mai 1769, B, t. V, p. 942. Lettre à S. Volland du 13 octobre 1759, B, t. V, p. 165 et sq.
4. Lettre à Grimm du 1er mai 1759, B, t. V, p. 89.

toujours voulu rester dans le registre de la raison mathématique ? Ou bien magnifie-t-il d'Alembert, en lui conférant une dimension qu'il n'avait pas ? En le faisant figurer au centre d'un des sommets de son œuvre ? Pouvoirs de l'écriture...

« Ce n'est pas par hasard [...] que Diderot a confié au médecin Bordeu un rôle important dans *Le Rêve de d'Alembert*. Par l'étendue de sa culture, la clarté et la précision de sa pensée, la maîtrise avec laquelle il exposait une question, le médecin béarnais pouvait séduire le philosophe. Plus précisément ils avaient des opinions communes. »[1] Bordeu avait été formé par la faculté de médecine de Montpellier, la meilleure qui soit alors, celle que Rousseau va consulter lorsqu'il croit avoir un polype au cœur. Intendant des eaux d'Aquitaine en 1749, Bordeu se fixe à Paris en 1752 où il est médecin adjoint de la Charité. Il est l'auteur de *Recherches anatomiques sur la fonction des glandes et sur leur action*. Partisan de la science expérimentale, il souligne l'utilité de l'hypothèse scientifique : « Ne convient-on pas aujourd'hui que les hypothèses elles-mêmes bien entendues ont leur utilité ? elles exercent l'esprit, et mettent à même de faire des recherches qu'on n'aurait jamais entreprises. »[2] Il est convaincu de la continuité des formes de la vie, les polypes sont des « végétaux animalisés »[3]. On trouve aussi chez Bordeu une théorie de la sensation, comme phénomène actif. L'image de l'essaim d'abeilles célèbre dans *Le Rêve* était déjà employée par Bordeu dans ses *Recherches [...] sur les glandes* (et aussi, en 1751, par Maupertuis). Bordeu est l'auteur de l'article « Crise » de l'*Encyclopédie* (1754). Cette même année, il publie un autre ouvrage, *Recherches sur le pouls,* où il définit la sensibi-

1. J. Roger, *Les sciences de la vie dans la pensée française du XVIIIe siècle*, rééd. A. Michel, 1993, p. 618. Cf. H. Dieckmann, « Théophile Bordeu und Diderot *Rêve de d'Alembert* », *Romanische Forschungen*, 1938, p. 55-122.
2. Cité par J. Roger, *op. cit.,* p. 619.
3. On se reportera à la thèse de M. Belleguic soutenue à Kingston Univ. (Canada) en co-tutelle avec Paris VIII.

lité en des termes proches de ceux que l'on peut lire dans *Le Rêve*.

Depuis 1752 environ, Diderot aurait pu connaître Bordeu ; il pouvait le rencontrer chez d'Holbach ; Bordeu habitait près de Diderot, rue de Verneuil. Cependant la première rencontre dont nous ayons la certitude ne remonte qu'à 1766[1]. En tant que médecin, Bordeu soigna Mme Legendre, sœur cadette de Sophie Volland, et Damilaville, grand ami de Diderot. Dans ses lettres à Sophie Volland, Diderot rend compte des consultations de Bordeu auxquelles il assiste[2] : « Bordeu a fait un coup de maître en ordonnant du lait de chèvre tout au travers de la fièvre » ; il applique un vésicatoire au bras gauche[3]. En septembre 1768, Damilaville qui mourra deux mois plus tard, est gravement malade ; le diagnostic de Bordeu est inquiétant : « J'ai bien peur que Bordeu ne soit un grand médecin. »[4] Quand Mme Diderot en 1771 a des symptômes qu'il croit être d'apoplexie, il se précipite chez Bordeu.

Métamorphoses

Mais les personnages des dialogues philosophiques ne sont pas plus les êtres « réels » que ceux des romans et des pièces de théâtre. Ni Diderot, ni d'Alembert ni Mlle de Lespinasse, ni Bordeu tels qu'ils figurent dans *Le Rêve* ne sont absolument conformes à ce qu'ils ont été historiquement. Peut-on, sans témérité, classer les personnages en allant de ceux qui semblent les plus fidèles vers ceux où la part de fiction est la plus grande ? Ce « Diderot » qui figure dans l'*Entretien* et s'éclipse ensuite, est donc désigné par le nom même de l'écrivain, tandis que dans les *Entretiens,* comme

1. Cf. DPV, p. 599.
2. Cf. lettres du 14, 23 et 27 février 1766.
3. B, t. V, p. 633.
4. B, t. V, p. 883.

dans *Le Neveu de Rameau,* le personnage qu'il désigne par « Moi » est plus éloigné du Diderot « réel » ; mais il est bien évident que le « Diderot » du *Rêve de d'Alembert* dont la présence est très discrète ne peut révéler qu'un aspect de la riche personnalité de l'écrivain, dans un dialogue qui, s'il a peut-être pour point de départ des conversations avec d'Alembert, n'est la reproduction exacte d'aucune d'entre elles. Notons cependant cet « effet de réel » qui consiste à nommer des personnes qui sont liées à « Diderot », si elles ne sont pas des personnages du *Rêve* : ainsi Angélique, la fille de l'écrivain (éd. GF, p. 41) pour une réflexion dont la correspondance atteste la source, ou encore le coup de patte à Falconet (p. 39-40).

Le personnage de « Bordeu » semblerait assez fidèle à ce que nous pouvons savoir du médecin béarnais. Mais ce n'est pas lui qui était le médecin de d'Alembert, soigné par un certain Bouvart qui avait attaqué Bordeu (cf. GF, p. 29). Juste revanche, Bordeu, magnifié par l'écriture, devient l'image même du médecin génial. Diderot lui attribue un « merveilleux penchant à la folie » (p. 101), qui lui permet des intuitions sublimes. Bordeu prend, comme on l'a vu, la succession d'Hippocrate ; il est né également du souvenir de bien d'autres médecins que Diderot qui fréquentait volontiers les milieux médicaux, a connus. Jean-Jacques Rousseau avait introduit Tronchin, médecin de Genève auprès de Diderot et de Mme d'Épinay ; Tronchin appartenait à une autre école que Bordeu ; il avait été l'élève de Boerhaave à Leyde. Médecin des Lumières, il avait pratiqué l'inoculation, sur les enfants mêmes du duc d'Orléans (1756). Tronchin aussi est appelé au chevet de Damilaville.

Mlle de Lespinasse (1732-1776) était tout à fait capable de remplir dans la vie le rôle que Diderot lui donne dans son texte ; son intelligence était bien connue des Philosophes. Son intimité avec d'Alembert avait été bénéfique. Nous avons sur sa personnalité un certain nombre de témoignages. « À l'époque même des *dialogues,* d'Alembert écrit sous la dictée les lettres de Julie à Condorcet, et y intercale ses propres remarques comme fait la Julie du *Rêve*. »[1] On peut se reporter au *Portrait de Mlle de Lespinasse par d'Alembert adressé à elle-même en 1771*. Après sa mort, d'Alembert tracera encore son portrait avec émotion[2]. Ces portraits diffèrent néanmoins assez nettement de l'image de Julie que nous laisse *Le Rêve*. Julie s'y montre sans préjugés, prête à se promener toute nue, si telle était l'habitude, ayant l'imagination prompte à s'enflammer (« vous me faites venir des idées bien ridicules », p. 95), regrettant que la sensation amoureuse ne soit pas plus générale : « Celle-là est toute seule de son espèce et c'est dommage » (p. 106).

À supposer que d'Alembert lui-même n'ait pas pu ni voulu tracer le « vrai » portrait de Julie (toute une partie de la vie amoureuse lui échappait), il est bien évident que la « Julie » de Diderot est en partie une fiction et que s'y mêle très fortement, comme la critique n'a pas manqué de le souligner, l'image d'une autre femme : Sophie Volland, comme Julie, restée célibataire et indépendante ; comme Julie avec d'Alembert, vivant une liaison demi-secrète avec Diderot ; Sophie était probablement plus capable d'accepter les audaces des propos d'un Bordeu dans la *Suite de l'Entretien* que ne l'était Julie de Lespinasse qui cependant n'était en rien bégueule : elle a lu *Le Pornographe* de Rétif, dont Diderot rend compte, ouvrage qui d'ailleurs est plus un projet de réglementation de la prostitution qu'un texte érotique[3]. Les lettres que Diderot adresse à Sophie contiennent bien des anecdotes lestes, issues des conversations du Grandval ; on ne peut savoir quelles étaient les réponses de Sophie, mais elle ne semble pas en avoir été choquée, puisque Diderot poursuit.

1. J. Varloot, DPV, t. XVII, p. 33. Cf. Ch. Henry, *Lettres inédites de Mlle de Lespinasse*, Paris, 1887, Slatkine Reprints, 1971.
2. E. Asse, *Lettres de Mlle de Lespinasse*, Paris, 1906, p. 343 et 345, voir p. 371-384. Cf. J. Buissounousse, *Julie de Lespinasse, ses amitiés, sa passion*, 1958, et J. Lacouture et M. C. d'Aragon, *Julie de Lespinasse : mourir d'amour*, Ramsay, 1980.
3. Cf. DPV, t. XVII, p. 67 et t. XVIII, p. 318. J'ai donné du *Pornographe* une réédition chez R. Deforges.

On n'en restera pas à ces anecdotes. Diderot confie aussi à Sophie Volland ses pensées les plus profondes sur l'organisation de la matière[1].

En 1769 cependant, Diderot connaît une nouvelle passion pour Mme de Maux qui était la fille naturelle – point commun avec Julie et avec d'Alembert, assez ordinaire, il est vrai – du comédien Quinault-Dufresne et de la comédienne Mlle de Seine. Diderot l'a connue chez Mme d'Épinay. Elle est sa maîtresse depuis le printemps, ne semble guère s'embarrasser de préjugés moraux et Diderot lui confie ses plus audacieuses pensées dans des lettres qui peuvent apparaître comme des bans d'essais du *Rêve,* ainsi cette lettre de l'été 1769 sur la production des animaux : « Pourquoi la nature épuisée n'en fait-elle point de nouveaux ? » À supposer que toute vie humaine ait disparu sur la terre et qu'elle revienne ensuite, « si je rallume le soleil, je vois renaître sur notre globe les plantes, les fruits, les insectes, et vraisemblablement les animaux et l'homme, productions naturelles du sol. – Et l'homme, me direz-vous ? – Oui l'homme, mais non tel qu'il est. D'abord je ne sais quoi ; puis un autre je ne sais quoi ; et puis à la suite de quelques centaines de millions d'années et d'autant de je ne sais quoi, l'animal bipède qui porte le nom d'homme. »[2] Et fin septembre, en réponse probablement à des réflexions de Mme de Maux sur la comète, et à un moment où il a terminé la *Suite*, il tire les conséquences du déterminisme qu'il y a exposé, non sans marquer ses propres contradictions[3].

Comme le personnage de Bordeu devient l'image du médecin, savant dont les Philosophes ont retrouvé l'antique dignité, loin des sarcasmes du théâtre de Molière, le personnage de « Julie de Lespinasse » atteint aussi la grandeur d'une figure mythique de la femme capable non seulement de

1. On se reportera à la belle édition des Lettres à Sophie Volland, donnée par Y. Florenne, au Club français du livre, 1965.
2. B, t. V, p. 965.
3. B, t. V, p. 979. Il est parfois difficile de savoir si certaines lettres étaient destinées à Mme de Maux ou à Sophie Volland.

comprendre, mais d'inciter l'homme à poursuivre sa découverte de la vérité, guide dans l'exploration de l'inconnu : Sophia ou Béatrice.

C'est peut-être cependant le personnage de d'Alembert qui s'écarte le plus ostensiblement du modèle. Diderot retrace avec exactitude l'histoire de sa naissance (p. 42) ; peut-être fait-il allusion à son *Traité de l'équilibre et du mouvement des fluides,* lorsqu'il lui fait dire : « Tout est en flux général » (p. 91). Dans sa folie géniale, Diderot lui confère ses audaces et le fait sortir de cette rationalité dont il proclamait les bienfaits, ainsi dans ces querelles avec Rameau, de cette rigueur du mathématicien, plus porté à l'esprit de géométrie qu'à l'intuition. Diderot projette son moi sur la personnalité de l'autre, dans un curieux phénomène de diffraction de l'identité qui ne serait pas si frappant s'il n'utilisait le nom d'un individu ayant réellement existé, et s'il ne s'était pas fait figurer lui-même dans l'*Entretien* comme l'incitateur du délire. Certes d'Alembert (1717-1783) aussi avait du génie, mais celui d'un mathématicien et d'un « géomètre ». Dès 1739, il avait fait paraître un *Mémoire sur le calcul intégral,* et un sur la *réfraction des corps* (1741) ; il était entré à l'Académie des sciences en 1741, a donné un *Traité de dynamique* en 1743, avec une suite en 1744, un *Essai d'une nouvelle théorie de la résistance des fluides,* en 1752[1]. Il était musicien, et Diderot avait probablement échangé avec lui des idées sur les théories ramistes dès leurs premières rencontres. L'importance de la musique dans *Le Rêve* appartient donc en commun aux deux frères, amis, ennemis suivant les moments. La forme du dialogue avait été pratiquée par d'Alembert aussi, par exemple dans son *Dialogue entre la poésie et la philosophie* de 1761[2] ; Diderot se fait l'écho des *Éléments de philosophie*[3]. Il mêle donc habilement le fictif et le réel en le sublimant.

1. Il entre à l'Académie française en 1754 et par conséquent appartient à deux académies. Voir Th. L. Hankins, *Jean d'Alembert : Science and the Enlightenment,* Oxford, Clarendon Press, 1970.
2. Cf. DPV, t. XVII, p. 53 et p. 71, n. 68.
3. Cf. DPV, t. XVII, p. 90, n. 3.

Infidélité de Diderot par rapport aux modèles qu'il a choisis ? On peut se le demander à propos des différents personnages du *Rêve*. Diderot par la magie du dramaturge ne ferait-il pas saillir des aspects souterrains de la personnalité des êtres qu'il met en scène ? Ainsi ce versant de la personnalité de Julie affirmant sa sexualité se révélera-t-il davantage dans ses passions pour Mora et pour Guibert – cette seconde passion n'éclatera qu'après la rédaction du *Rêve*. Quant à d'Alembert, des études de ces dernières années ont montré en lui une personnalité complexe, et il serait simpliste d'opposer le géomètre rationaliste qu'aurait été le d'Alembert « réel », au personnage du *Rêve* gagné par la sublime folie de Diderot. Y. Belaval s'interrogeait : « Y a-t-il deux d'Alembert ? »[1], le philosophe et le savant entre lesquels s'établirait une tension. « Il représente peut-être une époque intermédiaire, où les hommes de science déjà fortement caractérisés produisaient *encore* dans le domaine philosophique. »[2] « Comme mathématicien et comme physicien [...] d'Alembert choisit la voie rationaliste, et le travail sur les principes. Son épistémologie se réclame de l'empirisme. Il y a là une tension essentielle que les interprètes ont essayé d'analyser, en situant la pensée de l'encyclopédiste par rapport aux deux modèles de Descartes et de Newton. »[3] Tension fondamentale des Lumières et que *Le Rêve* exprimerait. Ses réflexions dans le Discours préliminaire de l'*Encyclopédie* expriment, dans le domaine de l'épistémologie, une recherche comparable à celle que Diderot, dans *Le Rêve,* tente dans le domaine de la biologie : « Pour peu qu'on ait réfléchi sur la liaison que les découvertes ont entre elles, écrit d'Alembert, il est facile de s'apercevoir que les sciences et les arts se prêtent mutuellement des secours et qu'il y a par conséquent une chaîne qui

1. Y. Belaval, *XVIIIᵉ siècle*, 1984, nº 16, p. 10.
2. Cf. S. Auroux et A. M. Chouillet, in *XVIIIᵉ siècle*, nº 16.
3. *Ibid.*

les unit. Mais s'il est souvent difficile de réduire à un petit nombre de règles ou de notions générales chaque science ou chaque art en particulier, il ne l'est pas moins de renfermer dans un système qui soit un les branches infiniment variées de la science humaine. Le premier pas que nous ayons à faire dans cette recherche est d'examiner, qu'on nous permette ce terme, la généalogie et la filiation de nos connaissances, les causes qui ont dû les faire naître et les caractères qui les distinguent ; en un mot, de remonter jusqu'à l'origine et à la génération de nos idées. »[1] D'Alembert remonte ici à l'origine des idées, tandis que dans *Le Rêve,* Diderot le fait remonter à l'origine des espèces animales. Généalogie des sciences et des arts, généalogie des êtres vivants présentent des analogies ; en tout cas, la recherche est dans les deux cas animée par le même désir de remonter aux origines, d'établir une continuité tout en prenant en compte les différences. D'Alembert pratiquerait dans le domaine de l'histoire du développement de l'esprit le même évolutionnisme que Diderot lui prête dans la contemplation délirante du développement de la vie animale.

Le dialogue

La santé de d'Alembert était assez fragile ; le 25 juillet 1765, Diderot écrit à Sophie Volland : « D'Alembert est à toute extrémité. Il a fait une indigestion terrible ; il a envoyé chercher Bouvart, qui l'a saigné. J'apprends qu'il est tourmenté par une colique qui ne le quitte point, et qui menace à chaque instant de l'emporter. S'il en meurt, nous aurons perdu en trois mois de temps deux grands peintres et deux grands géomètres[2]. Les hommes de cette trempe sont rares ; une nation en est bientôt appauvrie. »[3] Diderot rend visite au malade ; il trouve auprès de lui « une demoiselle d'Espinas qui

1. Discours préliminaire de l'*Encyclopédie.*
2. Les deux grands peintres sont Carle Vanloo et J. B. Deshays ; les deux grands géomètres, d'Alembert et Clairault. Cf. B, t. V, p. 508, n. 2.
3. B, t. V, p. 508.

s'y établit le matin à huit heures et qui n'en sort qu'à minuit »[1] ; à ce moment-là d'Alembert est chez la femme qui lui a servi de nourrice, rue Michel-le-Comte[2] ; ensuite il se fit transporter chez Watelet où Diderot va le voir : « Je l'ai trouvé seul ; notre entrevue a été fort tendre », écrit Diderot le 1er août 1765 ; devant l'état du malade, il a oublié leurs anciennes dissensions. D'Alembert s'installera enfin chez Mlle de Lespinasse après avoir quitté l'appartement de Watelet. Est-ce cette visite de juillet 1765 qui est le point de départ du *Rêve de d'Alembert* ? Il est vraisemblable qu'il y eut plusieurs visites dans les lieux successifs où a été transporté le malade ; en tout cas, la distance est grande entre cette visite au malade telle que la correspondance la mentionne et *Le Rêve* où d'Alembert et Mlle de Lespinasse semblent avoir leur domicile commun. Diderot a éliminé du *Rêve* les détails relatifs à une indigestion : elles sont plus graves et plus fréquentes au XVIIIe siècle que de nos jours, en raison de l'absence d'hygiène alimentaire et de traitements efficaces, peut-être aussi parce que les menus sont trop abondants. Diderot se plaint à maintes reprises dans sa correspondance de mauvaises digestions, et sait bien l'influence des « intestins » sur les pensées et sur les rêves. L'hypothèse de l'indigestion est cependant écartée dans le texte : « Bordeu : Qu'a-t-il mangé à souper ? — Mlle de l'Espinasse : Il n'a rien voulu prendre » (p. 66). L'état du d'Alembert fictif n'a rien de très grave, affirme « Bordeu » qui a été substitué à Bouvart et qui lui tâte le pouls ; en effet, Bordeu était l'auteur de *Recherches sur le pouls par rapport aux crises* (1756). « Bordeu » ne prescrit ni saignée ni aucun médicament, conformément à ses principes de thérapie « expectative », tandis que Bouvart avait fait une saignée, remède traditionnel de l'époque et déjà employé chez les médecins de Molière, et bien avant eux.

1. Cf. *Corr*, Roth, t. V, p. 69 et B, t. V, p. 510, 28 juillet 1765 : cette première visite de Mme Diderot a été tournée en ridicule par l'abbé Morellet et d'Holbach, ce qui blessa Diderot.
2. Cf. DPV, t. XVII, p. 67.

Les lettres à Sophie Volland ne parlent pas d'un éventuel délire de d'Alembert ; mais, d'après ces lettres, le mathématicien est mourant, « à toute extrémité », tandis que dans *Le Rêve*, il se rétablit assez vite (peut-être trop vite, si l'on veut respecter la vraisemblance) : il faut qu'il puisse être sorti pour que la *Suite* du *Rêve* laisse à Bordeu et à Mlle de Lespinasse toute leur liberté de parole. On ne sait quels furent les propos de d'Alembert lorsque Diderot lui rend visite. Dans *Le Rêve*, proprement dit, « Diderot » n'est pas présent physiquement. L'écrivain a déjà pratiqué ce genre littéraire qui consiste à recueillir les propos tenus par un mourant : n'était-ce pas la fiction de la *Lettre sur les aveugles* où Saunderson, géomètre aveugle, était un voyant comme d'Alembert, lorsque, les yeux fermés, il rêve. Cependant si d'Alembert dans le texte, et à la différence de la réalité, n'est pas mourant, son état de malade dans *Le Rêve* donne plus d'importance à des propos susceptibles de devenir testamentaires, si l'état s'aggravait ; ainsi le lecteur est disposé à une certaine indulgence devant ce qui pourrait lui apparaître comme une divagation : habileté d'écrivain que Diderot soulignait déjà dans la lettre à Sophie Volland (« Il y a quelque adresse à avoir mis mes idées dans la bouche d'un homme qui rêve »[1]). Le délire cependant ne permet pas un véritable échange ; pour rester dans le registre théâtral, il est presque exclusivement monologue ; la conversation se poursuit, parallèle à ce monologue, entre Bordeu et Mlle de Lespinasse, elle se poursuivra encore, mais en dehors de d'Alembert dans la *Suite* ; on est donc amené à distinguer la conversation d'une part, et de l'autre, le monologue.

L'équilibre des forces

Le dialogue premier se situait entre Diderot et d'Alembert ; si la forme de la conversation est essentielle chez Diderot, si elle établit un lien avec les *Entretiens sur le Fils naturel*, elle n'en est pas moins fort variée, et ces trois textes, *Le Rêve*

1. B, t. V, p. 969.

proprement dit, l'*Entretien* et la *Suite* qui l'entourent montrent bien la variété de ses possibilités, suivant que changent les interlocuteurs, suivant des contextes différents. L'équilibre n'est pas le même dans les trois textes, ni même à l'intérieur du *Rêve* proprement dit. Dans l'*Entretien* dialoguent les deux directeurs de l'*Encyclopédie,* deux hommes, dans la pleine lucidité d'une conversation poursuivie le soir. Le texte commence *in medias res* ; les premières paroles de d'Alembert résument le début de l'*Entretien* que le lecteur n'a pas sous les yeux. Diderot aime saisir ainsi ses personnages en route : Jacques et son maître sont déjà partis, lorsque le narrateur et le lecteur les rattrapent. D'Alembert interroge sur un ton de supériorité ; il argumente de façon serrée. Cependant peu à peu « Diderot » gagne du terrain. Par ces mots : « C'est que vous ne voulez pas le voir. C'est un phénomène commun » (p. 38), il prend d'Alembert en faute. « Je vais vous le dire, puisque vous en voulez avoir la honte » (p. 38). Vient alors la démonstration à partir de la nutrition et de la chaîne de l'azote. D'Alembert concède : « Vrai ou faux, j'aime ce passage du marbre à l'humus, de l'humus au règne végétal, et du règne végétal au règne animal, à la chair » (p. 41). D'Alembert semble reprendre une position de force en objectant : « Avec tout cela l'être sensible n'est pas encore l'être pensant » (p. 41). Lorsque Diderot raconte l'histoire de la conception de l'enfant d'Alembert, celui-ci, peut-être gêné, ramène la conversation à une question plus générale : « Vous ne croyez donc pas aux germes préexistants ? » ; les deux interlocuteurs tombent d'accord pour repousser cette hypothèse. À partir de là, d'Alembert et Diderot collaborent dans l'évocation des astres. D'Alembert tente de reprendre l'avantage en posant des problèmes de logique formelle : comment formons-nous des syllogismes et tirons-nous des conséquences ? (p. 56). « Diderot » a réponse à tout. Alors d'Alembert vaincu cherche un échappatoire : « Bonsoir et bonne nuit » (p. 58) ; ses répliques à partir de là sont très brèves, et il invoque à plusieurs reprises cette nécessité de dormir. On assiste donc à une progressive défaite de « d'Alem-

117

bert » ; « Diderot » affirme son pouvoir non seulement sur l'homme éveillé mais plus encore sur le dormeur : « Vous rêverez sur votre oreiller à cet entretien, et s'il n'y prend pas de la consistance, tant pis pour vous, car vous serez forcé d'embrasser des hypothèses bien autrement ridicules » (p. 58). « Diderot » est le metteur en scène tout-puissant qui manie ses marionnettes à son gré. Son éclipse dans *Le Rêve* ne limite donc pas ce pouvoir, image de celui de l'écrivain.

Dans *Le Rêve* aussi, il y a un transfert du pouvoir et cette fois-ci au bénéfice de Mlle de Lespinasse ; ainsi se marque une nouvelle dimension par l'introduction du féminin. Dormeur, malade, d'Alembert n'a plus un pouvoir direct sur la conversation. La conversation se situe entre Bordeu et Mlle de Lespinasse qui ne comprend pas le sens des paroles de d'Alembert, tandis que Bordeu, en position de supériorité avec sa compétence de médecin et de philosophe, les interprète. Bordeu fait preuve d'une surconscience, en étant capable de deviner ce que d'Alembert a dit. Ainsi il répond parfaitement au « défi » lancé par Julie. Mais l'équilibre des forces va se renverser ; jusque-là Julie était dans la situation de l'élève devant le maître. Elle va prendre une part plus dynamique à la discussion à partir du moment où elle affirme très haut les droits d'une autre logique que celle de la pure raison, thème que reprendra Diderot dans *Sur les femmes* : « Je vais m'expliquer par une comparaison ; les comparaisons sont presque toute la raison des femmes et des poètes » (p. 90) ; c'est elle alors qui lance l'image de l'araignée et de ses fils. Les deux interlocuteurs étant désormais à égalité, le dialogue peut atteindre son sommet, le yin et le yang, le féminin et le masculin réunis permettent la naissance de la plus haute pensée comme d'un enfant. Or cette union intellectuelle, image de l'union physique, se produit entre Mlle de Lespinasse et Bordeu. La *Suite* du rêve accentue encore cette absence de l'amant en titre, puisque d'Alembert n'est même plus là physiquement et que les propos de Bordeu et de Mlle de Lespinasse abordent encore plus nettement qu'ils ne l'avaient fait jusque-là la sexualité.

De cette solitude de d'Alembert, enfermé dans son rêve et incapable de prendre véritablement part à la conversation, l'épisode de l'éjaculation pourrait être le symbole. En est également le symbole le refus de Bordeu et de Mlle de Lespinasse de faire participer le dormeur à la conversation dans ses moments d'éveil. « Paix, paix », lui dit Mlle de Lespinasse lorsque d'Alembert l'appelle (p. 90). Bordeu lui intime l'ordre de dormir, s'il tente de se mêler à la conversation (p. 102 : « Dormez »). Il entend les propos de d'Alembert et les commente, mais comme d'une voix extérieure au dialogue qu'il poursuit avec Mlle de Lespinasse et l'emploi de la troisième personne est bien significatif : « Il a raison » (p. 91). Le « nous » en revanche souligne l'union du médecin et de la femme : « Et nous, où en étions-nous ? » (p. 95). Ou encore après une intervention de d'Alembert, la réaction de Mlle de Lespinasse : « Oui, oui, taisez-vous, et ne vous mêlez pas de nos affaires » (p. 115). Le sursaut de jalousie de d'Alembert « Docteur, vous embrassez mademoiselle ; c'est fort bien fait à vous » (p. 107) n'interrompt pas le cours de la conversation : « J'y ai beaucoup réfléchi... », poursuit Bordeu. Pas plus que sa tentative de censure : « Je crois que vous dites des ordures à mademoiselle de l'Espinasse » (p. 114).

Les différences bien marquées dans la nature du dialogue entre l'*Entretien* et *Le Rêve* démontrent les difficultés et les réussites de la maïeutique, cet art si lié au dialogue philosophique dans la culture occidentale depuis les textes fondateurs que sont les dialogues platoniciens. Dans l'*Entretien,* aucun des deux hommes ne veut se situer en disciple par rapport à l'autre, aussi la maïeutique n'aboutit-elle pas, sauf par de brefs éclairs : « À merveille, vous l'avez dit » (p. 37). Diderot ne pourra pas faire accoucher de la vérité d'Alembert tant qu'il est lucide, il faudra le plonger dans le sommeil ou dans le délire. Au contraire dans le dialogue entre Bordeu et Mlle de Lespinasse, Bordeu médecin est détenteur d'un savoir que Mlle de Lespinase ne prétend pas avoir, d'où l'attitude d'humilité de Julie au début et la possibilité pour Bordeu de pratiquer cette maïeutique qui permet finalement au disciple d'égaler ou de dépasser le maître qui l'a encouragé dans sa recherche : « Votre idée est on ne peut plus juste » (p. 96) ; « Votre doute me plaît » (p. 108). Bordeu devine ce que va dire Julie (p. 101), continue son propos, l'aide à venir à la lumière (p. 70).

Dans la *Suite* la nature du dialogue est encore différente. La sexualité est au centre du texte ; Bordeu entend parler franchement : « Nous sommes seuls, vous n'êtes pas une bégueule » (p. 172). À plusieurs reprises Mlle de Lespinasse marque cependant un mouvement de recul, demande que l'on mette un peu de gaze sur la réalité, ou « se couvre les yeux » (p. 179). Cependant, c'est elle qui propose le thème délicat : « Que pensez-vous du mélange des espèces ? » (p. 172), et qui ramène la discussion à la question scabreuse de la bestialité, en demandant à nouveau : « Que pensez-vous du mélange des espèces ? » (p. 181). Elle n'a pas froid aux yeux : « Nous ne reculons jamais » (p. 175). Bordeu est lui-même étonné par l'audace de Julie : « Vous êtes bien hardie ! » (p. 184). Elle ne gardera même pas le secret de cet entretien qui pourrait sembler scandaleux – « je n'écoute que pour le plaisir de redire » (p. 186), lance-t-elle à Bordeu. Les manifestations de pudeur étaient donc de convention ; elles relèvent du début du texte et disparaissent : l'imagination de la femme est capable de tout autant d'audace que celle de l'homme, peut-être davantage, affirmera Diderot dans *Sur les Femmes* : « Tandis que nous lisons dans les livres, elles lisent dans le grand livre du monde. »[1]

La parole de d'Alembert

La parole de d'Alembert au cours du rêve connaît des statuts divers : elle a d'abord été recueillie par Mlle de Lespinasse qui lit ses notes à Bordeu, d'Alembert étant alors endormi, puis la voix de d'Alembert se fait entendre ; le rôle

---

1. *Sur les femmes*, B, t. I, p. 960.

d'humble secrétaire appartenait à Julie première manière, au début du texte : « Je me suis mise à écrire tout ce que j'ai pu attraper de sa rêvasserie » (p. 68). Diderot aime marquer cette circulation de l'oral à l'écrit ; à la fin de l'éblouissante conversation que constitue *Jacques le Fataliste,* ne va-t-il pas évoquer trois manuscrits contradictoires ; la conversation est essentielle à son art, mais non moins essentiel le besoin d'écrire la conversation. D'où un va-et-vient incessant entre l'écrit et l'oral ; ainsi ce passage de lettre à Mme de Maux que nous évoquions plus haut relate une conversation que Diderot transcrit pour son amie, qu'il reprend dans *Le Rêve* où elle redevient conversation, mais conversation transcrite, cependant que Diderot préfère ne pas faire imprimer son manuscrit. Le caractère privé que garde le manuscrit, qu'il s'agisse d'une lettre intime ou de la diffusion limitée de la *Correspondance littéraire,* permet à l'écrit de mieux conserver la fluidité confidentielle de la parole. Et Diderot aime inscrire dans son texte même le passage de la parole à l'écriture et de l'écriture à la parole.

Si le rêve de d'Alembert demeure distinct de la conversation qui se poursuit entre Bordeu et Mlle de Lespinasse, des effets d'échos sont marqués et assurent la cohésion du texte. Ainsi la question de l'identité est posée par Mlle de Lespinasse (p. 89), puis par d'Alembert (p. 91), sans qu'il y ait échange de conversation, mais plutôt une coïncidence entre le rêve et la conversation qui se poursuivent parallèlement. De même, et à une plus grande distance, le rêve reprend le dialogue de l'*Entretien,* mais en dehors de la présence de « Diderot » : « Un point vivant... Non, je me trompe. Rien d'abord » (p. 68).

La parole de d'Alembert d'abord lue par Julie, ensuite proférée directement, connaît des niveaux différents parce qu'elle correspond à des phases du délire, du sommeil, de la veille, tandis que les sujets abordés varient. Mlle de Lespinasse a noté pendant la nuit des phrases qui lui semblent du « délire » (p. 67), et qui se rattachent directement à l'*Entretien* par cette apostrophe : « Tenez, philosophe. » « Comme s'il s'adressait à quelqu'un » (p. 69). D'Alembert reprend même ce qui pourrait être la parole de « Diderot » : « Mon ami d'Alembert » (p. 69). S'il n'y a pas dialogue avec des êtres présents, il n'y en a pas moins un échange imaginaire de paroles dans cette première phase. Intervient alors un bref dialogue entre d'Alembert et Julie à propos des essaims d'abeilles (p. 70-71) qui est bien un dialogue, mais qui a eu lieu pendant la nuit précédente, et Bordeu conclut : « Eh bien, savez-vous que ce rêve est fort beau, et que vous avez bien fait de l'écrire » (p. 72). Bordeu demande que la lecture de Julie se poursuive et elle relate encore un dialogue entre elle et lui (p. 75-76). Dans toute cette partie supposée être une transcription de ce qui s'est dit la nuit précédente, à la différence de ce qui se passe quand Bordeu arrive le matin, il y avait bien eu un échange de paroles mais avec de la part de Mlle de Lespinasse la condescendance que l'on peut avoir envers le délire d'un malade avec qui l'on n'essaie pas de raisonner. À mesure que les paroles de d'Alembert deviennent plus audacieuses, il s'éloigne en quelque sorte de la chambre où il parlait à Mlle de Lespinasse qui a noté et qui maintenant relit en marquant sa distance à l'endroit d'une parole qui lui apparaît délirante : « Il a continué » (p. 78). « Des folies qui ne s'entendent qu'aux Petites-Maisons » (p. 79). « Là il s'est mis à faire des éclats de rire à m'effrayer » (p. 79). « Docteur vous me permettez de passer ceci » (p. 81). La parole de d'Alembert devient plus confuse : « Ensuite il s'est mis à marmotter je ne sais quoi de graines, de lambeaux de chair » (p. 81). Elle est alors intranscriptible sinon par fragments, jusqu'au moment de la masturbation et de l'orgasme (p. 82-83) qui marque la fin de ce premier état du discours de la nuit précédente rapporté par Mlle de Lespinasse. Il y eut cependant une deuxième série de propos de d'Alembert, mais relatée plus brièvement : « Sur les deux heures du matin, il en est revenu à sa goutte d'eau » (p. 84).

La relation de la nuit précédente est terminée, un temps de dialogue entre Mlle de Lespinasse et Bordeu (p. 86-90) marque ce passage à un autre niveau du discours, directement entendu par Bordeu et Mlle de Lespinasse. « Écoutons », dit Bordeu (p. 91). Deux tirades de d'Alembert, puis silence, il a dû se rendormir. « Il ne dit plus rien » (p. 95). Ce silence dure un long temps pendant lequel se poursuit le dialogue de Bordeu avec Julie. D'Alembert parle dans un demi-sommeil.

Troisième temps, le réveil : « Bonjour, docteur, que faites-vous ici si matin ? » (p. 102) ; souvenir confus de la nuit précédente : « Je ne crois pas avoir passé une autre nuit aussi agitée que celle-ci » (p. 102). Suivent plusieurs pages où d'Alembert demeure silencieux, comme s'il lui fallait un certain temps pour émerger du sommeil. Le baiser que Bordeu donne à Mlle de Lespinasse, suscite sa réaction et marque un nouveau statut de la parole de d'Alembert réveillé et qui tente de se mêler à la conversation, mais de façon encore épisodique. Il ne dialogue vraiment que pour marquer la fin de la visite et le départ de Bordeu : « Docteur, encore un mot, et je vous envoie à votre patient » (p. 129). Le dialogue rebondit entre Bordeu et Mlle de Lespinasse, les interventions de d'Alembert reprennent sur le ton de la rationalité. Paradoxalement, c'est lui qui maintenant reproche à Mlle de Lespinasse d'« extravaguer » (p. 132). Il manifeste à l'extrême fin du dialogue un souci croissant de clarté : « Cela est-il bien clair pour vous, mademoiselle ? » (p. 165). *Le Rêve* est terminé pendant lequel le lecteur aura eu successivement sous les yeux des paroles de d'Alembert correspondant à trois états successifs : le délire, le rêve endormi, l'éveil, qui marque le déclin de la créativité, tandis qu'après les hésitations du délire, le rêve atteignait le sommet de l'imagination divinatrice.

Dialogue, rêve et poésie

Diderot a ainsi combiné avec une virtuosité que l'on ne cesse d'admirer deux formes privilégiées de textes philosophiques : le dialogue et le rêve, deux formes bien distinctes, le rêveur ne peut véritablement dialoguer avec les êtres qui l'entourent et qui assistent à la révélation dont il bénéficie, tandis que dans le dialogue, la vérité se fait jour par des voies plus rationnelles, plus pédagogiques, plus lentes également. Comme pour le dialogue, le rêve a ses titres de noblesse dès l'Antiquité. Sans invoquer les songes bibliques que Diderot n'ignore pas, mais qui ont plutôt une valeur prémonitoire ou divinatoire, on se référera plutôt à l'Antiquité classique, même si l'idéologie de ces textes est bien différente, à la révélation d'Er dans *La République* de Platon[1], au « Songe de Scipion » dans *La République* de Cicéron où la vision cosmique s'autorise aussi du demi-délire de l'homme qui rêve. La Renaissance chérit également cette forme de message philosophique qui peut se charger d'un contenu ésotérique, ainsi dans le célèbre *Songe de Poliphile*.

Faut-il ajouter qu'à cette tradition littéraire se mêle l'expérience de Diderot chez qui l'art de la conversation atteint au génie, et qui n'ignore pas non plus les révélations que le rêve peut apporter. Le *Salon de 1767* en témoigne, texte déjà à mi-chemin entre la relation directe d'un rêve et le recours à une forme littéraire en train de s'inventer : « J'ai passé la nuit la plus agitée. C'est un état bien singulier que celui du rêve. Aucun philosophe que je connaisse n'a encore assigné la vraie différence de la veille et du rêve. Veillé-je quand je crois rêver ? rêvé-je quand je crois veiller ? Qui m'a dit que le voile ne se déchirerait pas un jour, et que je ne resterais pas convaincu que j'ai rêvé tout ce que j'ai fait et fait réellement tout ce que j'ai rêvé ? »[2] Suit alors la description de tableaux comme des visions aperçues en rêve (la *Tempête* de Vernet) et une explication physiologique du rêve dû au travail des « intestins ». « Il y a la veille de la tête pendant laquelle les intestins obéissent, sont passifs ; il y a la veille des intestins où la tête est passive, obéissante, commandée [...]. La variété des spasmes que les intestins peuvent concevoir d'eux-

1. *République*, livre X.
2. B, t. IV, p. 630.

mêmes correspond à toute la variété des rêves et à toute la variété des délires, à toute la variété des rêves de l'homme sain qui sommeille, à toute la variété des délires de l'homme malade qui veille et qui n'est plus à lui. »[1] Le rapprochement du *Rêve* avec le *Salon* s'impose d'autant plus que quelques lignes plus loin on trouve l'image de l'araignée si importante dans *Le Rêve* et que s'esquisse dans ces pages le projet d'écrire *Le Rêve* : « Je mettrais à tout ce système plus de vraisemblance et de clarté, si j'en avais le temps [...]. Il me faudrait aussi un peu de pratique de médecine, il me faudrait... du repos, s'il vous plaît, car j'en ai besoin. »[2] Mais J. Varloot, tout en rapprochant le *Salon* du *Rêve,* a raison de marquer aussi la différence et combien la théorie du rêve s'est affinée du *Salon de 1767* au *Rêve* : « La grande originalité consiste dans le double cheminement du rêve, montant et descendant. En outre, Diderot, laissant place à la mémoire et à l'intelligence du dormeur, donne au rêve de d'Alembert une fonction d' "événement", non d'un intermède psychologique fortuit, et le constitue d'un développement conséquent d'idées qui structure une bonne partie de l'œuvre. »[3] En quoi, ajouterions-nous, *Le Rêve de d'Alembert* se rattache à la tradition littéraire du rêve philosophique, moyen d'exposer des idées audacieuses certes, mais non incohérentes, ou pour reprendre les termes de la lettre à Sophie Volland du 31 août 1769 de conjuguer « la plus haute extravagance » et « la philosophie la plus profonde » ; dans cette même lettre *Le Rêve* est présenté non comme une plongée dans l'obscur de l'irrationnel, mais comme un « éclaircissement » de l'*Entretien entre d'Alembert et Diderot* où les deux interlocuteurs causent « assez gaiement et même assez clairement, malgré la sécheresse et l'obscurité du sujet »[4]. On ne manquera pas d'être frappé par le retour du vocabulaire de la clarté : *Le*

---

1. B, t. IV, p. 632.
2. B, t. IV, p. 632-633.
3. J. Varloot, DPV, t. XVII, p. 55-56.
4. B, t. V, p. 968.

Rêve apporte une clarté supplémentaire à l'*Entretien* : il explicite, il explique. Le rêve est illumination.

Hobbes écrit dans son chapitre « De l'Imagination » (*Éléments du système général du monde*, 1771) : « Le rêve est nécessairement plus clair dans ce silence des sens que ne le sont les pensées à l'état de veille. »[1] Mais la pensée de Diderot me semble aller dans une direction contraire : ce n'est pas le silence des sens qui donne la clarté au rêve, mais au contraire le fait qu'ils ne sont plus bridés par la raison, et l'épisode de l'éjaculation en est bien la preuve. On se reportera à une lettre à Mme de Maux de novembre 1769 où Diderot parle du langage du cœur et de la sensibilité : « Heureux celui qui a reçu de nature une âme sensible et mobile [...]. C'est son cœur qui lie ses idées. La langue du cœur est mille fois plus variée que celle de l'esprit, et il est impossible de donner les règles de sa dialectique. Cela tient du délire, et ce n'est pas du délire. Cela tient du rêve, et ce n'est pas le rêve. Mais comme dans le rêve ou le délire, ce sont les fils du réseau qui commandent à leur origine, le maître se résout à la condition d'interprète. Mon amie, ne cherchez pas de sens à ces deux dernières lignes, elles ne seront claires qu'après la lecture de deux dialogues dont je crois vous avoir parlé. »[2] Nous qui connaissons ces dialogues, l'*Entretien* et *Le Rêve*, que Mme de Maux n'a pas encore pu lire, nous sommes frappés par la profonde correspondance qui existe entre la théorie de la sensibilité et du réseau des fibres sensibles, et le style même qui expose cette théorie : le rêve traduit cette puissance des fils du réseau qui remontent au cerveau, à l'araignée, et le style des propos de d'Alembert qui est celui du délire puis du rêve, est le style des poètes ou des amoureux, c'est-à-dire que la progression des idées se fait davantage par l'intuition que par la dialectique logique. D'Alembert est alors un « interprète » tel un instrumentiste. Et là encore est soulignée la relation avec le thème musical si important dans la

1. Cité par J. Varloot, DPV, t. VII, p. 57, n. 81.
2. B, t. V, p. 993.

réflexion sur les « fibres » (c'est-à-dire le réseau des nerfs), que nous aurons à y revenir plus longuement.

Le langage du rêveur ne peut être décidément que celui de la poésie qui, lui aussi, procède par intuition ; le poète s'y trouve dans la situation d'interprète. Mais Diderot ne se risque pas dans le poème philosophique et l'on s'en réjouira, car Voltaire n'est pas Lucrèce, et le poème philosophique au XVIIIe siècle, comme toute la poésie versifiée, est dans une impasse dont sortira avec peine Chénier dans l'*Hermès* ou l'*Amérique*, ces vastes poèmes inachevés et qui peut-être ne pouvaient que le rester, le poète eût-il survécu à la Terreur. Ce langage poétique de l'intuition, Diderot le pratique non dans des poèmes versifiés, mais dans le dialogue et le rêve, deux formes de discours qui procèdent par association d'idées, dans un apparent désordre dont se dégagent finalement une structure, une logique différentes, mais tout aussi solides et peut-être plus capables de placer l'écrivain dans la situation d'interprète de l'univers[1].

1. Voir aussi lettre à S. Volland, 20 octobre 1760, B, t. V, p. 271 et notre conclusion.

Le monde vivant

« Il faut un commentateur », écrit Diderot à Sophie Volland à propos de son dialogue avec d'Alembert[1]. On en dira autant du *Rêve* et de la *Suite,* textes si chargés de références à l'état de la science et de la philosophie contemporaines de Diderot qu'il est difficile de s'y aventurer sans évoquer les nombreuses sources d'une pensée qui jaillit, originale, mais à partir d'une quantité impressionnante d'informations. Diderot est à l'écoute de la science de son temps.

Pas seulement certes, celle de son temps. Pour *Le Rêve,* comme pour les *Entretiens sur le Fils naturel,* mais, à un degré moindre cependant, l'Antiquité est bien présente. Les présocratiques et, plus tard venu, Lucrèce avaient de quoi susciter la réflexion de Diderot. Mlle de Lespinasse rapporte les propos de d'Alembert : « Si lorsque Épicure assurait que la terre contenait les germes de tout, et que l'espèce animale était le produit de la fermentation, il avait proposé de montrer une image en petit de ce qui s'était fait en grand à l'origine des temps, que lui aurait-on répondu ? » (p. 84). Il n'a manqué à l'intuition philosophique d'Épicure que la possibilité de l'expérimentation que le XVIIIᵉ siècle a développé. Les réfé-

---

1. 1ᵉʳ octobre 1769, B, t. V, p. 980.

rences à Épicure sont très nombreuses dans l'œuvre de Diderot. Un autre philosophe ancien auquel Diderot aime se référer, c'est Diogène, le fondateur de la secte des cyniques, athée et matérialiste. Bordeu se compare à Diogène (p. 179), et « Mlle de Lespinasse » aurait pu épouser un « disciple de Diogène » (p. 173). D'Alembert invoque Archytas, mathématicien et astronome pythagoricien (p. 94). Mais nous avons vu comment Diderot avait dû renoncer à situer son dialogue dans l'Antiquité, parce qu'il était trop chargé de réflexions scientifiques et philosophiques qui appartiennent à son temps.

La « sensibilité » et la médecine

Sous l'apparent désordre du délire, le propos de Diderot pendant *Le Rêve* suit une progression très ferme : « Les notes que Mlle de Lespinasse a prises en écoutant rêver d'Alembert posent le problème de la sensibilité sous deux formes, résume J. Roger : rapports, dans l'individu, entre les éléments et le tout ; rapports, dans l'univers, entre les individus et le tout des éléments. Un temps d'arrêt permet à Bordeu de montrer qu'il s'agit là d'un "sujet grave" et sur lequel il faut "prendre parti". Puis [...] Bordeu et Mlle de Lespinasse discutent de l'unité de l'être sensible, interrompus de temps à autre par le rêve cosmique de d'Alembert ; ainsi l'unité profonde des deux thèmes se trouve non pas affirmée, mais rendue sensible. Enfin d'Alembert se réveille, et la conversation se limitera désormais aux problèmes de la psychophysiologie. Mais le lecteur ne saurait oublier le rêve, dont les affirmations les plus hasardées trouvent une confirmation indirecte, plus intuitive que rationnelle, dans les précisions et les certitudes scientifiques de la fin du texte. »[1] Si l'on considère non plus seulement *Le*

---

1. J. Roger, *Les sciences de la vie dans la pensée du XVIIIᵉ siècle*, p. 657-658.

Rêve, mais l'*Entretien* qui le précède et la *Suite*, on observe également une progression très logique, de la molécule à l'individu, puis à la société.

« Diderot accepte désormais les idées de Maupertuis sur la fusion des sensibilités élémentaires en une sensibilité globale, emprunte à Bordeu la théorie de l'indépendance des organes et la description des relations entre le centre des filets nerveux et leurs extrémités, mais insiste beaucoup plus que lui sur le rôle du diaphragme, sans doute sous l'influence de Ménuret et de Fouquet. »[1] Maupertuis (1698-1759) possède cette universalité des connaissances et des curiosités scientifiques de son époque ; il s'est illustré dans deux domaines qui occupent une place capitale dans *Le Rêve* : l'astronomie, d'inspiration newtonienne (*Discours sur les différentes figures des astres*, 1732 ; *Essais de cosmologie*, 1748), et la biologie dans des perspectives transformistes (*Vénus physique*, 1745 ; *Essai sur la formation des corps organisés*, 1754). Maupertuis a confirmé Diderot dans son intuition que le psychisme émane de la matière ; son matérialisme bouillonnant d'idées (*Lettres sur le progrès des sciences*, 1752) avait de quoi séduire. Maupertuis s'était lié avec d'Alembert et Diderot à son retour à Paris en 1753. Dans les *Pensées sur l'interprétation de la nature*, Diderot s'inspire directement de la *Dissertation d'Erlangen* (1751).

Fouquet et Ménuret sont moins connus. L'article « Sensibilité, Sentiment (Médecine) » de l'*Encyclopédie* ont été rédigés par Fouquet, docteur de Montpellier. On retrouve dans *Le Rêve* un écho de sa conception de la sensibilité qui pour lui possède une double propriété « de percevoir les impressions des objets externes, et de produire en conséquence des mouvements proportionnés au degré d'intensité de cette perception ». Fouquet s'oppose à Haller et à son système de l'irritabilité. On trouve dans cet article une description de l'embryon qui n'est d'abord qu'un « cylindre nerveux » et « jette de toutes parts de petits rameaux dont il trace les déli-

1. *Ibid.*, p. 659.

néamens des parties ». Fouquet a également écrit l'article « Sécrétion » pour l'*Encyclopédie.*

Ménuret, autre médecin, a donné les articles « Économie animale », « Mort », probablement, et « Pouls ». Il rend un éloge dithyrambique à Lacaze, autre médecin montpellérien, devenu médecin ordinaire du Roi, et dont l'influence fut « primordiale »[1]. Tous ces médecins avaient posé la question de la sensibilité. « Qu'on s'abstienne, comme Bordeu, de définir l'essence de la sensibilité – mais Bordeu était peut-être moins prudent lorsqu'il bavardait chez d'Holbach –, qu'on y voie l'action du fluide électrique, comme Lacaze, ou d'une âme ignée comme Fouquet, elle ne peut être que matière, ou production de la matière vivante »[2], et c'est cela qui importe. Les médecins de Montpellier donnent une grande extension à cette notion de sensibilité et par le fait même en démontrent le caractère philosophique. « Sans les médecins de Montpellier, Bordeu, Fouquet, Ménuret de Chambaud, Diderot n'aurait pas écrit *Le Rêve de d'Alembert.* »[3] Dans les *Éléments de physiologie,* postérieurs au *Rêve,* Diderot écrira : « Pas de livres que je lise plus volontiers que les livres de médecine, pas d'hommes dont la conversation soit plus intéressante pour moi que celle des médecins. »[4] Bordeu ne représente pas seulement le Médecin, mais plus précisément cette école de médecine de Montpellier particulièrement audacieuse et à laquelle le directeur de l'*Encyclopédie* a fait largement appel. Il n'est pas seulement un personnage de médecin qui affirme la supériorité de la nature et préconise une thérapie expectative (p. 129), partisan de l'expérimentation et trouvant que l'« on ne dissèque pas assez » (p. 111), il est également une source directe des textes de Diderot. D'autres médecins sont également convoqués dans *Le Rêve,* à titre de référence à des anecdotes et même à pro-

1. DPV, t. XVII, p. 34, n. 20.
2. J. Roger, *op. cit.,* p. 639.
3. *Ibid.,* p. 641.
4. Cité par J. Roger, *ibid.*

pos de trépanation, le chirurgien de Louis XV, La Peyronie, auteur de *Mémoires,* longuement évoqué dans l'article « Âme », et qui voyait dans le « corps calleux » l'origine de l' « âme »[1].

Histoire naturelle

La question de la sensibilité amène des réflexions sur le rapport de l'homme et de la nature ; la conception de la nature évolue. Plus encore que de Buffon, Diderot serait proche ici de Robinet chez qui l'on trouve, comme dans *Le Rêve,* la démonstration de l'unité du monde vivant par le phénomène de la nutrition[2]. Une molécule minérale « en s'incorporant au tissu d'une substance animale, devient partie constituante d'un tout organique ; et pourrait-elle le devenir sans être organique elle-même ? ». « La matière devient successivement métal, pierre, plante, animal. »[3] Robinet était guetté par la folie et ses *Considérations philosophiques* parues en 1768 marquent une aggravation dans le caractère délirant de sa réflexion, mais la folie n'était pas pour déplaire à Diderot qui a dû le connaître par les comptes rendus de la *Correspondance littéraire.* On se reportera aux réflexions qu'inspirent à Diderot, peu après qu'il ait écrit les dialogues, les *Principes philosophiques* attribués à Robinet[4], mais Diderot discutait avec lui depuis le temps de l'*Interprétation de la nature*[5] et J. Varloot voit une apostrophe destinée à Robinet dans : « Et vous parlez d'individus, pauvres philosophes ! laissez là vos individus. »[6]

Bonnet était plus raisonnable, et Diderot « ne pouvait être tenté ni par ses explications mécanistes de la sécrétion glan-

---

1. B, t. I, p. 246.
2. Cf. J. Roger, *op. cit.,* p. 645-647.
3. Cité par J. Roger, *op. cit.,* p. 647.
4. Cf. DPV, t. XVII, p. 43 et t. XVIII, p. 64-66 et p. 344, le compte rendu du *Temple du bonheur.*
5. DPV, t. XVII, p. 138, n. 156.
6. DPV, t. XVII, p. 138.

dulaire ou de l'assimilation, ni par les hypothèses spiritualistes qui supposaient des "germes d'âme" au polype. Par contre, la *Contemplation de la nature,* publiée en 1764, devait lui paraître plus digne d'attention. Bonnet partait lui aussi du principe de la chaîne des êtres et de la gradation insensible entre les degrés de l'échelle universelle »[1]. On n'en finirait pas de citer tous les auteurs de cette deuxième moitié du XVIIIe siècle avec qui Diderot semble avoir des liens ; on conclut volontiers avec J. Roger : « Pendant quinze ans, de 1754 à 1769, Diderot s'est trouvé à portée de suivre, mieux que personne, le mouvement de la pensée biologique ; par l'*Encyclopédie,* par d'Holbach et les familiers de son salon, par Grimm et la *Correspondance littéraire,* il a pu être informé de tout. »[2]

Découlant de cette nouvelle conception du monde vivant, se font jour les premières théories transformistes qui rencontrent des résistances chez Voltaire, même chez Buffon et auxquelles Diderot n'adhérait pas encore lors de la *Lettre sur les aveugles.* Mais les découvertes des fossiles amènent à réfléchir sur la succession des espèces vivantes et sur la durée de la vie sur terre. L'importance de Buffon (1707-1788) est considérable. De 1749 à 1767 ont paru les quinze volumes de son *Histoire naturelle, générale et particulière.* Diderot lit les trois premiers volumes pendant son incarcération à Vincennes, mais il connaissait Buffon auparavant[3]. Les fossiles d'origine végétale ou animale amènent Buffon à élargir considérablement la chronologie de la terre (il hésite entre 75 000 et trois millions d'années). Il n'accepte pas un transformisme radical et ne croit pas que les familles animales soient dérivées les unes des autres. Il écrit à propos de la chèvre : « Quoique les espèces dans les animaux soient toutes séparées par un intervalle que le nature ne peut franchir, quelques-unes semblent se rapprocher par un si grand

---

1. J. Roger, *op. cit.,* p. 651.
2. *Ibid.,* p. 653.
3. Cf. J. Roger, *op. cit.,* p. 593, p. 596 et p. 598.

nombre de rapports qu'il ne reste, pour ainsi dire, entre elles que l'espace nécessaire pour tirer la ligne de séparation. » Est-ce en réponse à ce texte, que Diderot imagine dans la *Suite* des hommes-chèvres ? Mais Buffon tient à affirmer son respect pour le christianisme, ainsi au début du tome IV. Il refusait de « faire de son œuvre une machine de guerre contre la religion, car, comme le montrent les débats autour de la génération, les déductions philosophiques les plus diverses peuvent être tirées des mêmes découvertes »[1]. Diderot remet en cause la distinction de Buffon entre la matière brute et la matière vivante. Cependant « Buffon admettra bientôt, et Diderot le sait peut-être déjà, que les "molécules organiques vivantes" sont nées, il y a fort longtemps, d'une combinaison chimique de matière brute »[2].

Un bel exemple du dialogue entre Buffon et Diderot nous est donné par l'article « Animal » de l'*Encyclopédie*[3]. Le corps de l'article est emprunté à Buffon, mais Diderot a ajouté des passages qui sont en italiques. Dans la partie qui revient à Buffon, on peut lire ces déclarations déjà assez proches du *Rêve* : « La nature va par nuances insensibles. »[4] Le polype de Trembley est-il un animal ou une plante ? « La différence la plus apparente entre les animaux et les végétaux paraît être cette faculté de se mouvoir et de changer de lieu dont les animaux sont doués, et qui n'est pas donnée aux végétaux. »[5] Et la conclusion : « Plus on fera d'observations, plus on se convaincra qu'entre les animaux et les végétaux, le Créateur n'a pas mis de terme fixe ; [...] et qu'enfin le vivant et l'animé, au lieu d'être un degré métaphysique des êtres, est une propriété physique de la matière. »[6] Le texte de Buffon com-

1. R. Mauzi et S. Menant, *XVIIIe siècle*, t. 2 : *Littérature française*, t. IX, Arthaud, p. 153.
2. J. Roger, Introduction, Diderot, *Le Rêve de d'Alembert*, GF, p. 26 et *Les sciences de la vie au XVIIIe siècle*, p. 527 et sq.
3. J. Roger, *Les sciences de la vie au XVIIIe siècle*, p. 600.
4. B, t. I, p. 252.
5. B, t. I, p. 258-259.
6. B, t. I, p. 265.

porte des références au « Créateur » absentes du *Rêve,* le passage du végétal à l'animal y est plus mis en valeur que celui
du minéral au vivant, néanmoins les parties de l'article dues à
Diderot, si elles en accentuent l'audace, ne sont pas du tout
en discordance avec le texte de Buffon. On peut y lire
l'annonce de l'*Entretien* et du *Rêve,* sans que Diderot se risque
aux propos provocants de la *Suite* : degrés imperceptibles
entre les êtres, unité de la matière, interrogation sur les limites de l'animalité, réflexions sur le « sentiment », métaphore
empruntée au clavecin du P. Castel, remarques sur les mots
abstraits (« c'est le besoin seul qui a inventé les noms généraux », p. 250). Cependant la distinction entre « matière
brute » et « matière vivante » subsiste chez Buffon, tandis
qu'elle disparaît chez Diderot[1].

Dans ce grand essor des sciences naturelles au XVIIIe siècle,
les expériences sur la génération avaient de quoi passionner
les esprits. Le processus de la fécondation est alors très mal
connu, sinon franchement ignoré[2]. L'abbé Needham, secrétaire de Buffon, défend la théorie de la génération spontanée.
Au microscope, appareil qui s'est beaucoup perfectionné
grâce aux progrès de l'optique, il a vu des « anguilles » naître
dans des infusions de graines végétales (farine de blé ergoté
humectée d'eau). À partir de là il croit pouvoir affirmer la
possibilité de la génération spontanée. Spallanzani fait des
expériences qui vont en sens contraire, et analyse le phénomène de la fécondation ; il lance l'idée de l'insémination arti-
ficielle. Les controverses entre Needham et Spallanzani sont
violentes. Spallanzani a fait aussi progresser l'étude de la
digestion qui lui semble un phénomène chimique et pas seulement mécanique. Ces deux questions des « anguilles » de
Needham et de la nutrition tiennent une place importante
dans *Le Rêve. L'Essai* que publia Spallanzani en 1765 « ruinait
méthodiquement les idées de Needham »[3]. Voltaire déiste et

---

1. B, t. I, p. 250 ; cf. J. Roger, Introduction, GF, p. 25-26.
2. Cf. DPV, t. XVII, p. 97, n. 21.
3. J. Roger, *Les sciences de la vie au XVIIIe siècle*, p. 725.

partisan de la théorie des germes préexistants, se réjouit de voir l'*Essai* détruire les théories de Needham. Diderot, au contraire, se saisit des expériences de Needham pour détruire la théorie « métaphysicothéologique des germes préexistants »[1] ; l'hypothèse de la génération spontanée de Needham, fausse par elle-même, n'en est pas moins un stimulant pour sa pensée.

Cosmogonie

Si la réflexion biologique nous semble dominer *Le Rêve,* il ne faut pas cependant négliger d'autres aspects de la réflexion scientifique qu'il contient. La rêverie cosmogonique de d'Alembert est importante aussi. L'astronomie connaît de grands progrès au XVIIIe siècle. On sait l'importance de Newton dans la pensée des Lumières. Importants aussi les travaux de Clairault. Grâce au développement de l'optique, l'observation astronomique s'étendit. La chronologie du monde est remise en question. La représentation temporelle étroite de la Bible ne peut plus être acceptée. Halley (1656-1742) expose sa théorie des planètes en 1705 dans le *Synopsis astronomiae cometicae* et laisse des *Astronomical tables* (1752). Il avait observé dès 1682 le passage d'une comète qui amène, dans cette période de « crise de conscience européenne » à s'interroger sur la pluralité des mondes. Fontenelle est évoqué dans *Le Rêve de d'Alembert* ; Bordeu et Julie apprécient cet esprit « profond » qui a su donner une forme agréable à sa pensée (p. 86). Voltaire a revêtu d'une forme romanesque cet élargissement de la conception de l'univers. « Qui sait ce qu'est l'être pensant et sentant en Saturne ? » (p. 91), se demande d'Alembert, reprenant *Micromegas* (1752) et Mlle de Lespinasse imagine une « poutre qui toucherait d'un bout sur la terre et de l'autre bout dans Sirius » (p. 98).

1. L. Versini, B, t. I, p. 605.

Un autre domaine que *Le Rêve* aborde également, c'est celui de la folie, de la conscience et de ce que nous appellerions l'inconscient. Or, là aussi on constate une transformation des idées, et une valorisation des états jugés jusque-là répréhensibles. La folie apparaît à un La Mettrie comme le signe d'une sensibilité forte : « Voyez la Delbar [...] dans une loge d'Opéra ; pâle et rouge tour à tour, elle bat la mesure avec Rebel ; s'attendrit avec Iphignéie, entre en fureur avec Roland, etc. Toutes les impressions de l'orchestre passent sur son visage comme sur une toile ; ses yeux s'adoucissent, se pâment, rient ou s'arment d'un courroux guerrier. On la prend pour folle. Elle ne l'est point ; à moins qu'il y ait de la folie à sentir le plaisir. »[1] Michel Foucault a laissé des pages célèbres sur cette présence de la déraison comme un « trouble miroir » de la Raison des Lumières. Le sensualisme contribuait à déculpabiliser et à valoriser les états de conscience jugés aberrants jusque-là. De même que la nature est considérée comme une totalité du minéral au végétal, du végétal à l'animal, les frontières entre les états de conscience apparaissent moins étanches et il n'y a plus « aucune différence entre un médecin qui veille et un philosophe qui rêve » (p. 75).

Quand il se met à écrire, avec cette rapidité stupéfiante que nous avons évoquée, *Le Rêve* et les deux textes qui l'entourent, Diderot est donc nourri de nombreuses lectures ; la direction de l'*Encyclopédie* qui se veut dictionnaire des sciences a enrichi ses connaissances ; il a lu des récits de voyageurs ; *Le Rêve* évoque la Condamine, chimiste et voyageur à l'Équateur, auteur de quelques articles de l'*Encyclopédie* ; il a lu chez le P. Lafitau *(Mœurs des sauvages américains)* des exemples de résistance extraordinaire à la torture[2]. Mais les sources de ses œuvres ne sauraient se ramener à des livres, ou plus exac-

1. La Mettrie, *L'Homme-machine*, Pauvert, 1966, p. 36-37.
2. Cf. DPV, t. XVII, p. 172, n. 236.

tement, avant même l'écriture des *dialogues,* les livres sont devenus objets de conversation, et il est d'autant plus facile de donner la forme dialoguée à ces sujets pourtant scientifiques et ardus abordés dans *Le Rêve,* que Diderot en a parlé avec ses amis : les médecins, certes, et nous avons vu leur rôle, mais aussi ce que nous pourrions appeler les « honnêtes gens ». Il faudrait évoquer ce merveilleux creuset de la création que fut la vie au Grandval. Les éditions critiques, ainsi celle de J. Varloot chez Hermann, ont systématiquement repéré tous les passages qui sont la transcription plus ou moins fidèle de ces conversations que relatent les lettres à Sophie Volland. Au Grandval se racontent des anecdotes piquantes et parfois grivoises dont beaucoup vont être réutilisées dans *Jacques le Fataliste* ; des conversations fort sérieuses prennent place également, ainsi avec le baron, sur la production des animaux (été 1769), ou avec le « Père » Hoop résolument athée. Le baron lit aussi Stahl et Becker[1] et peut-être les courants occultistes ne sont pas absolument étrangers à certaine réflexion de Diderot sur la matière. La question, à vrai dire insoluble et sur laquelle, par conséquent, nous ne nous étendrons pas, est celle du degré d'élaboration littéraire des lettres à Sophie Volland. Éblouissantes, ces lettres sont déjà des textes littéraires, probablement intermédiaires entre les conversations qui ont réellement eu lieu au Grandval ou ailleurs, et les œuvres achevées, qu'il s'agisse des récits de fiction ou de réflexion philosophique.

REPRÉSENTER LE MONDE VIVANT

Vers la vie

L'*Entretien* est intitulé « Suite d'un entretien entre M. d'Alembert et M. Diderot ». Sur quoi portait cet entretien « précédent » ? Il aurait porté sur la distinction des deux

1. Cf. lettre du 10 septembre 1768, B, t. V, p. 883.

substances, et il en sera de nouveau question plus loin quand d'Alembert dira : « Vous en voulez à la distinction des deux substances » (p. 49). Dieu est-il dans la nature ou hors de la nature ? D'Alembert avait abordé cette question dans le huitième « Éclaircissement » de ses *Essais philosophiques,* Diderot dans une lettre à Sophie Volland du 20 octobre 1760, résume les deux théories opposées et les difficultés auxquelles elles se heurtent[1]. Mais vite le débat est orienté vers la question de la sensibilité qui animerait la matière. Si on renonce à l'idée de Dieu et de la création, la difficulté fondamentale qui s'élève est celle de l'origine de la vie et du passage de la matière inerte à la matière vivante ; la question de la sensibilité est donc centrale : « cette sensibilité que vous lui substituez, si c'est une qualité générale et essentielle de la matière, il faut que la pierre sente » (p. 35). La conséquence est alors la distinction entre sensibilité active et sensibilité passive (p. 36-37) qui permet d'établir un rapport entre mouvement et sensibilité : « D'Alembert » : « Quel rapport y a-t-il entre le mouvement et la sensibilité ? Serait-ce par hasard que vous reconnaîtriez une sensibilité active et une sensibilité inerte, comme il y a une force vive et une force morte » (p. 37). Jusque-là le débat est d'une grande abstraction ; c'est à partir du moment où Diderot prouve le passage de la matière inerte à la matière vivante par l'exemple de la nutrition que le dialogue s'anime devient plus théâtral, avec des pointes de comique : « Rendre le marbre comestible, cela ne me paraît pas facile. » Quelle statue prendra-t-on pour faire l'expérience ? Diderot n'estime guère Huez : dans le *Salon de 1765,* il compare son *Saint Augustin* à « un sapajou embarrassé dans une chasuble d'évêque » et, dans le *Salon de 1769,* il note un *Enfant qui court* qui « est de la force de ces figures de porcelaine ou de sucre qui décorent nos surtouts »[2]. Tandis que Falconet, son ami, alors en Russie, est

---

1. Cf. DPV, t. XVII, p. 90, n. 4 ; *Corr.,* Roth, t. III, p. 171, et B, t. V, p. 270.
2. *Salon de 1765*, B, t. IV, p. 454 ; *Salon de 1769*, B, t. IV, p. 877.

un grand sculpteur ; mais, et sa correspondance avec Diderot le prouve, il fait moins que lui de cas de la gloire et de la postérité[1]. Cependant la statue supposée sacrifiée à l'expérience n'est pas identifiable. À moins que l'on pense à un passage du *Salon de 1767* où Diderot raconte comment Falconet détruisit le buste qu'il avait fait de Diderot, jugeant celui qu'avait réalisé Mlle Collot bien supérieur : « Lorsque Falconet eut vu le *Buste* de son élève, il prit un marteau et cassa le sien devant elle. » Miroir brisé de l'identité de Diderot ? « Je dirai cependant de ce mauvais buste, qu'on y voyait les traces d'une peine d'âme dont j'étais dévoré lorsque l'artiste le fit. »[2] Cependant dans l'*Entretien,* l'important c'est le geste supposé de « Diderot » que la phrase suggère : « Je prends la statue que vous voyez », et la réaction de d'Alembert : « Doucement... » (p. 39). À partir de là on quitte l'abstraction du dialogue philosophique sur des problèmes difficiles de métaphysique, pour un dialogue beaucoup plus théâtral, qui n'exclut pas cependant des termes techniques, ainsi celui de *latus* qui signifie l' « affinité d'un corps pour un autre corps non homogène »[3]. Alors que d'Alembert demeure sur un registre plus général : « Et ce *latus,* c'est la plante ? », le vocabulaire utilisé par « Diderot » a une saveur toute campagnarde : « J'y sème des pois, des fèves, des choux » (p. 41). C'est de même avec un vocabulaire très concret que sera abordée la question des « germes préexistants », et par le recours à une aporie classique[4] devenu langage proverbial : la « priorité de l'œuf sur la poule » (p. 44). La citation d'un mot de la petite Angélique permet aussi d'éviter le retour à une abstraction trop rigide. « Je fais donc de la chair ou de l'âme, comme dit ma fille, une matière activement sensible » (p. 41) – ce qui n'est pas exactement le propos d'Angélique, à supposer que la lettre à Sophie Volland, du

1. Voir cependant des nuances, DPV, t. XVII, p. 94, n. 14.
2. B, t. IV, p. 532-533.
3. DPV, t. XVII, p. 94, n. 16.
4. Chez Plutarque, Macrobe, cf. DPV, t. XVII, p. 97, n. 29.

9 août 1769, en donne une transcription plus exacte : "L'âme ? me répondit-elle ; mais on fait de l'âme quand on fait de la chair". »[1]

Autre façon de passer de l'abstraction au concret, le récit de la naissance de d'Alembert. On notera que Diderot, à la différence de bien des écrivains de son temps, et encore de Sade, ne considère pas la femme comme un simple réceptacle de la semence masculine : « Les molécules qui devaient former les premiers rudiments de mon géomètre étaient éparses dans les jeunes et frêles machines de l'une et de l'autre » (p. 42). Le destin de l'individu d'Alembert est décrit par-delà 1769 : « Un être vieillissant, dépérissant, mourant, dissous et rendu à la terre végétale » (p. 43). Le mouvement du texte fait songer aux « Âges de la vie » du mime Marceau, tant il est vrai que, en dehors même de l'indication précise de mouvements, la phrase de Diderot mime le geste, le fait naître.

Cependant se marque la pulsion propre au dialogue vers l'élargissement et la digression. Alors que « Diderot » semble craindre de s'écarter du sujet initial, « d'Alembert » se montre plus souple : « Qu'est-ce que cela fait ? Nous y reviendrons ou nous n'y reviendrons pas » (p. 44). Indifférence ? Entraînement dans l'élan du dialogue ; il ne tardera pas cependant à vouloir revenir « au passage d'être sentant à l'être pensant » (p. 46). C'est qu'entre temps de vastes perspectives ont été ouvertes sur le soleil éteint et rallumé (p. 45) qui annoncent le délire cosmologique du *Rêve* ; cependant il ne s'agit pas d'un retour en arrière, la discussion a progressé, et maintenant ce n'est plus d'un agrégat de cellules qu'il est question, mais de l'homme constitué, doué de mémoire.

Arrivé à ce point de l'*Entretien,* toute une série de questions ont été abordées : celle de la sensibilité, de la reproduction, de l'évolution des espèces, questions qui vont être reprises, mais sur un autre registre, celui du délire et du rêve dans le second texte. De la question de l'absorption, évoquée dans l'*Entretien,* on passe dans *Le Rêve,* à celle de

1. Lettre du 9 août 1769, B, t. V, p. 960.

l'assimilation, ce qui est assez différent[1] : « Avant l'assimilation il y avait deux molécules, après l'assimilation il n'y en a plus qu'une » (p. 70). Le sens d'assimilation, et sa différence avec l'absorption sont bien marqués dans l'article « Assimilation » de l'*Encyclopédie,* dont Tarin est l'auteur : l'assimilation « se dit proprement d'un mouvement par lequel des corps transforment d'autres corps, qui ont une disposition convenable, en une nature semblable ou homogène à leur propre nature. Voyez *Mouvement, Corps,* etc. ». Si l'on examine de près le texte de l'*Entretien* et celui du *Rêve,* on constate qu'il n'y a pas une répétition, même lorsque d'Alembert l'affirme, ainsi lorsqu'il dit : « Un fil d'or très pur, je m'en souviens, c'est une comparaison qu'il m'a faite ; un réseau homogène, entre les molécules duquel d'autres s'interposent et forment peut-être un autre réseau homogène, un tissu de matière sensible, un contact qui assimile, de la sensibilité active ici, inerte là, qui se communique comme le mouvement, sans compter, comme il l'a très bien dit, qu'il doit y avoir de la différence entre le contact de deux molécules sensibles et le contact de deux molécules qui ne le seraient pas » (p. 70-71). Comme le fait justement remarquer J. Varloot, ce n'est pas dans l'*Entretien,* mais dans les *Principes philosophiques*[2] que Diderot l'a dit.

Métaphores du vivant

Le rêve autorise le développement de la métaphore, avec tout ce qu'elle contient de richesse poétique et philosophique, avec également sa valeur d'expérimentation scientifique, ainsi lorsque d'Alembert demande à Mlle de Lespinasse de couper les pattes des abeilles qu'il voit en rêve[3]. L'image de l'essaim

1. Cf. DPV, p. 118, n. 87.
2. DPV, t. XVII, p. 17-18.
3. Cf. M. Delon, « La métaphore comme expérience dans *Le Rêve de d'Alembert* », *Aspects du discours matérialiste en France autour de 1770,* Soc. d'Études du XVIIIᵉ siècle, 1981.

d'abeilles est longuement développée. Si elle a un côté buco-lique et virgilien, son utilisation philosophique provient directement, nous l'avons dit, de la *Dissertation d'Erlangen* de Maupertuis (1751). Diderot l'avait utilisée dans les *Pensées sur l'interprétation de la nature*. « Diderot recueille non seulement l'image de l'essaim, mais sa réflexion sur le passage de la sen-sibilité particulière à la sensibilité générale, de la contiguïté à la continuité, de la molécule organique à l'être vivant. »[1] L'image, comme l'avait fait remarquer H. Dieckmann, se trouve aussi chez Bordeu (*Recherches anatomiques sur les différen-tes positions des glandes et de leur action*, 1752). Ce n'est donc pas l'originalité, ni même l'exactitude, au fond discutable, de la métaphore qui nous retiendra, mais bien davantage comment Diderot a su tirer de cette image « un véritable mythe fonda-teur de l'unité de l'univers et de sa propre pensée »[2].

Une autre image est lancée par Mlle de Lespinasse qui est vouée elle aussi à un développement mythique, celle de l'araignée et de ses fils, image du réseau nerveux issu du centre, c'est-à-dire du cerveau (quoique Diderot ne le nomme pas ainsi dans ce texte). Mlle de Lespinasse utilise également des métaphores que l'on peut juger spécifique-ment féminines quand elle parle de fuseau, de fils qui s'embrouillent et de sa « tournette » (p. 111), images qui redoublent la métaphore de l'araignée et de sa « toile ».

Un mythe important était plus développé en revanche dans l'*Entretien* (p. 47-51) que dans *Le Rêve* : celui du clave-cin sensible. Dans les paroles de « Diderot », il est question de la corde vibrante et de son oscillation, question qui avait intéressé aussi bien Diderot dès les *Mémoires sur différents sujets de mathématiques,* que d'Alembert, rédacteur des articles d'acoustique de l'*Encyclopédie,* en particulier de l'article « Fondamental » qui suscita l'ire de Rameau. « Les cordes vibrantes ont encore une autre propriété, c'est d'en faire frémir d'autres » (p. 49), « Diderot » suppose un clavecin qui

1. L. Versini, B, t. I, p. 589, n. *.
2. L. Versini, t. I, p. 627, n. 1.

ait la sensibilité et la mémoire (p. 50). Dans *Le Rêve,* il est question du clavecin du P. Castel comme image de la continuité du vivant (p. 93). L'image a donc changé de valeur entre l'*Entretien* et *Le Rêve,* tant elle est riche chez Diderot et susceptible de symbolismes divers, et dans *Le Rêve* lui-même, elle est reprise par Bordeu : « Si vous avez pris la liberté de comparer l'animal à un clavecin, vous me permettrez bien de comparer le récit du poète au chant » (p. 163). L'image du clavecin chez Diderot est fondamentale et d'une fécondité toujours renouvelée[1].

L'utilisation de l'image mythique est donc particulièrement importante dans *Le Rêve.* La métaphore, mode privilégié de la pensée des femmes et de poètes, correspond à la vie elle-même, à sa continuité et à ses sauts ; elle tisse des fils ; la faculté de comparer se tient dans le cerveau qui établit par les métaphores des réseaux avec tout l'univers : « un endroit, au centre commun de toutes les sensations, là où est la mémoire, là où se font les comparaisons » (p. 145). On constate donc la parfaite adéquation entre le raisonnement philosophique et son expression.

Élargissement des perspectives

La divagation onirique permet des audaces que n'autorisait pas le dialogue diurne de d'Alembert et du Philosophe. La question des germes préexistant était évoquée dans l'*Entretien* : « D'Alembert : Vous ne croyez donc pas aux germes préexistants ? », et Diderot lui répondait : « Cela est contre l'expérience et la raison » (p. 43). Dans *Le Rêve,* cette question donne lieu à une véritable scène de mime : « Il avait imité avec sa main droite le tube d'un microscope, et avec sa

---

1. Sur l'importance de cette image du clavecin chez Diderot, on se reportera à J. Chouillet, *Diderot poète de l'énergie,* p. 245 et sq. : « Le clavecin philosophe ». Voir aussi A. M. Chouillet, « Le clavecin oculaire du P. Castel », *XVIII* siècle,* t. 8, 1976.

gauche, je crois, l'orifice d'un vase. » La vision s'élargit : « Le vase où il apercevait tant de générations momentanées, il le comparait à l'univers ; il voyait dans une goutte d'eau l'histoire du monde » (p. 81-82).

La dimension cosmologique est le propre du *Rêve*. Elle était rapidement suggérée dans l'*Entretien* par « Diderot » lorsqu'il avait parlé du soleil éteint, puis rallumé et d'« une infinité de générations nouvelles » qui en découlait (p. 45). « Dans Jupiter ou dans Saturne, des polypes humains ! » (p. 79). « Dans une planète où les hommes se multiplieraient à la manière des poissons » (p. 83). C'est lorsque l'imagination de d'Alembert devient cosmique que les signes de la folie sont soulignés : rire (p. 79) : « Et vous n'appelez pas cela de la déraison ? » (p. 83). Le sommeil ne suffit pas, il faut le délire pour autoriser cette extension planétaire des hypothèses (quoique comme le signale J. Varloot les hypothèses sur une transplantation planétaire soient fréquentes et que Diderot les fasse ailleurs, dans *Le pour et le contre*[1] dans le *Salon de 1767*).

L'élargissement des perspectives se marque aussi dans l'évocation de la vie du fœtus, par le redoublement de cette évocation : c'était celle de d'Alembert et accessoirement du poussin dans l'*Entretien* ; dans *Le Rêve,* c'est celle de Mlle de Lespinasse (p. 103-104). Mais les deux évocations, malgré leur évidente symétrie, ne sont pas identiques, non seulement parce que Bordeu n'évoque ni l'âge adulte ni la décrépitude[2] mais parce que, dans la genèse de Mlle de Lespinasse, il intègre les réflexions sur le faisceau et les fibres sensibles ; ainsi les reprises permettent de faire progresser des synthèses, et d'aller plus loin dans la réflexion.

La présence de Bordeu qui était absent de l'*Entretien* entraîne une quantité d'anecdotes. L'anecdote fait partie du charme de la conversation, elle suscite l'intérêt de l'auditeur : « Docteur, racontez-le moi » (p. 141) : les conversations du Grandval retracées dans les lettres à Sophie Volland en

---

1. Cf. *Le pour et le contre*, DPV, t. XV, p. 10 et 52.
2. Cf. DPV, t. XVII, p. 144, n. 173.

abondent. Elles constituent aussi ces *exempla* chères à la rhétorique. Proférées par un médecin, elles ont aussi une autre
valeur : elles affirment la supériorité de l'expérience sur le
discours abstrait. Les anecdotes se multiplient à mesure que
progresse *Le Rêve* et que Bordeu prend davantage la parole.
Jean-Baptiste Macé (p. 111-112), les jumelles de Rabastens
près d'Albi (p. 126) illustrent la question des monstres, prouvent leur réalité physique, tandis que l'anecdote du trépané
de La Peyronie (p. 118), ou de l'amnésie de M. de Schellemberg, de Winterthur (p. 134-135), vont illustrer la question
du rapport de l'état du cerveau et de la pensée ; diverses
anecdotes sur des états vaporeux des femmes (p. 137-139)
prouvent le pouvoir du physique sur le moral, mais inversement l'histoire du curé de Moni prouve la force du psychisme sur le corps.

Les monstres

Ces anecdotes relèvent donc, pour une part, de la question des monstres, qui n'avait pas été abordée dans l'*Entretien,* question qui a toujours fasciné et peut-être davantage
dans les périodes de grand bouillonnement intellectuel : la
Renaissance, avec Boaistuau, réfléchit aussi à partir des ano-
malies de la nature. Diderot dans la *Lettre sur les aveugles*
n'avait-il pas déjà été intéressé par ce « monstre » que serait
l'homme privé d'un sens ? La monstruosité sert de preuve à
la continuité du vivant : « L'homme n'est qu'un effet commun, le monstre qu'un effet rare ; tous les deux également
naturels, également nécessaires, également dans l'ordre universel et général [...]. Tous les êtres circulent les uns dans les
autres, par conséquent toutes les espèces... tout est un flux
perpétuel » (p. 93). La monstruosité pose également la question de l'hérédité, et de la réapparition des tares qui peuvent
resurgir chez les descendants lointains, alors qu'elles sem-
blaient avoir disparu chez les enfants du « monstre ». Sur ce
point encore la réflexion de Diderot est en avance sur son

temps, et annonce les lois découvertes par Mendel (1822-1884) sur le patrimoine héréditaire. Si l'hérédité peut sauter plusieurs générations, ces sauts ne font que mieux sentir la continuité du vivant : c'est parce qu'il y a continuité qu'il peut y avoir ces réapparitions d'un caractère héréditaire.

La question des monstres amène alors une réflexion capitale : « L'homme n'est peut-être que le monstre de la femme, ou la femme le monstre de l'homme » (p. 113). C'est Mlle de Lespinasse qui lance ce propos, et on notera que s'il établit une égalité, il commence, de façon inhabituelle, par poser que ce pourrait être l'homme qui soit un monstre, non la femme que toute une tradition machiste et encore le freudisme représentent comme un homme mutilé. Cette réflexion confirme sur le plan de la réflexion biologique, cette progression du pouvoir du féminin dans l'équilibre du dialogue que nous avons analysée plus haut. On peut certes trouver des antécédents à la réflexion de Mlle de Lespinasse, chez Platon ou chez Aristophane ; on peut aussi repérer des prolongements de ces idées dans les *Éléments de physiologie*[1]. Mais on ne trouvera peut-être nulle part une formulation aussi provocante que dans le propos prêté à Mlle de Lespinasse. Comme la toile d'araignée qui établit un réseau, tout dans ce texte est lié : rapport de l'inanimé et de l'animé, évolution des espèces, monstres, reproduction et différence sexuelle, visions cosmologiques.

MÉMOIRE, IMAGINATION ET CRÉATION

L'identité

Cependant une question apparaît, de plus en plus lancinante, celle de l'identité, de la mémoire ; on passe alors de considérations sur les espèces et sur le vivant, à des considé-

---

1. Fin 2ᵉ partie : « Fœtus », « Testicules », « Matrice ». Cf. DPV, p. 152, n. 194.

rations qui sont plus exclusivement du domaine humain. Elle était déjà présente dans l'*Entretien* et développée autour de l'image si importante du clavecin. Diderot a comparé les fibres de nos organes à un clavecin ; de même que les cordes vibrantes en font frémir d'autres, « une première idée en rappelle une seconde, ces deux-là une troisième [...] sans qu'on puisse fixer la limite des idées réveillées, enchaînées, du philosophe qui médite ou qui s'écoute dans le silence et l'obscurité » (p. 49). D'Alembert objecte : « Vous faites de l'entendement du philosophe un être distinct de l'instrument », Diderot est amené à affiner l'image et à préciser « la différence de l'instrument philosophe et de l'instrument clavecin. L'instrument philosophe est sensible ; il est en même temps le musicien et l'instrument » (p. 50). Il possède à la fois la conscience du son et la mémoire. La mémoire de la sensation est une question capitale ; Condillac l'avait déjà posée avec sa fameuse statue qui ne peut arriver à l'entendement que par l'association des sensations, ce qui suppose qu'elle se souvienne, par exemple, de l'odeur de rose quand elle sent un jasmin et inversement. Pour que l'image du clavecin soit parfaitement adéquate, il faut comme à la statue de Condillac, supposer une mémoire des sensations. Douer l'instrument musical de mémoire, c'est une question dont Diderot s'était préoccupé dès ses premiers écrits, en s'intéressant aux automates musicaux, aux tentatives d'enregistrement et à « l'orgue d'Allemagne » dans ses *Mémoires sur différents sujets de mathématiques*.

On verra un net souvenir de Condillac dans *Le Rêve* lorsque Julie donne à la « masse » successivement des « brins auditifs », des « brins optiques », « des brins palatins » (p. 161), mais on sentira aussi la différence de point de vue : pour Condillac les sensations viennent de l'extérieur sur une statue qui a la faculté de sentir, tandis que « Julie » donne successivement à la « masse » les nerfs qui permettent la sensation. La métaphore du clavecin permet de résoudre la question du rapport entre le monde extérieur et le monde intérieur : « Nos sens sont autant de touches qui sont pincées par la nature qui nous environne, et qui se pincent souvent elles-mêmes » (p. 50) – le clavecin est un instrument à cordes « pincées » et non frappées comme le pianoforte. La justification de la métaphore est assurée par l'affirmation de la continuité entre l'animé et l'inanimé : « Quelle autre différence trouvez-vous entre le serin et la serinette ? » (p. 51). « La serinette est de bois » (p. 55) : il s'agit d'un petit instrument à vent, le serin est un oiseau vivant comme l'homme, mais serin, serinette, homme sont faits de la même matière.

Reste encore à résoudre la question de la communication entre les êtres humains. « Un animal étant un instrument sensible parfaitement semblable à un autre, doué de la même conformation, monté des mêmes cordes, pincé de la même manière par la joie, par la douleur, par la faim, par la soif, par la colique, par l'admiration, par l'effroi, il est impossible qu'au pôle et sous la ligne il rende des sons différents » (p. 55). Texte important par les théories musicales et anthropologiques auxquelles il fait référence. Pour ce qui est des théories musicales, on y verra une allusion à Rameau qui faisait reposer l'universalité de son système harmonique sur le fait que la résonance du corps sonore était la même sous toutes les latitudes (ce qui n'est d'ailleurs pas strictement exact). Dans le domaine de l'anthropologie, Diderot, à la différence de Voltaire, affirme ici l'unité de la « race » humaine[1]. Quant au prolongement linguistique de ce passage – « Aussi trouverez-vous les interjections à peu près les mêmes dans toutes les langues mortes ou vivantes » (p. 55) –, nous aurons à y revenir, mais notons d'ores et déjà combien chez Diderot la réflexion anthropologique et médicale est féconde en aperçus linguistiques ; il l'avait déjà montré dans la *Lettre sur les sourds et muets*.

La question de l'identité se trouve posée devant ce flux universel de la matière, et parfois sur un ton angoissé dans *Le Rêve*. « Pourquoi suis-je tel ? », s'interroge d'Alembert et Julie

---

1. Cf. Michèle Duchet, *Anthropologie et Histoire au siècle des Lumières*, Maspero, 1970, et Flammarion, 1977.

se demande si elle aurait pu être autre. Finalement, elle en viendrait à prouver l'existence du « moi » par un simple instinct, inexplicable pour la seule raison, par une donnée immédiate de la conscience, dira Bergson, mais plutôt par l'expérience, plus conforme à la philosophie de Diderot : « Il me semble qu'il ne faut pas tant verbiager pour savoir que je suis moi, que j'ai toujours été moi, et que je ne serai jamais une autre » (p. 88). Bordeu raisonne dans des perspectives purement matérialistes, et n'esquive pas pour autant la difficulté : si l'on suppose que la formation de l'homme ou de l'animal s'est faite par « l'apposition successive de plusieurs molécules sensibles », « chaque molécule sensible avait son moi avant l'application ; mais comment l'a-t-elle perdu, et comment de toutes ces pertes en est-il résulté la conscience d'un tout ? » (p. 89). Julie en appelle alors à une expérience quotidienne : « Lorsque je pose ma main sur ma cuisse... », Bordeu amène une nouvelle objection, et c'est finalement grâce à l'image de l'araignée comme centre d'un réseau de fils, c'est grâce au cerveau que s'affirme l'identité. « L'origine » tient le « registre » des états successifs du moi (p. 145).

Troubles de l'identité

Le Rêve n'en a pas moins passé en revue la plupart des troubles qui altèrent la conscience de soi. Et d'abord selon la fiction même sur laquelle repose tout le texte, le rêve. D'Alembert rêvant est bien différent de ce qu'il était dans l'Entretien (plus proche du d'Alembert « réel »). Dans l'Entretien il a affirmé témérairement : « Sceptique je me serai couché, sceptique je me lèverai » (p. 58). Les propos qu'il tient dans Le Rêve révèlent au contraire une adhésion aux hypothèses les plus audacieuses.

Le mot « rêve » a un sens plus large au XVIIIe siècle que de nos jours[1] et désigne aussi la méditation profonde. « La nuit,

1. Cf. DPV, t. XVII, p. 54.

dans les ténèbres, lorsque vous rêvez surtout à quelque chose d'abstrait, le jour même, lorsque votre esprit est occupé » (p. 120) semble plutôt faire référence à un état de veille qu'au sommeil. Mlle de Lespinasse a elle aussi rêvé de jour et de nuit ; il s'agirait dans les expériences les plus curieuses de rêves dans le sommeil : elle devenait immense ; mais Bordeu a connu une femme qui, éveillée, se voyait rapetisser : « Elle ne rêvait point ; c'était un des accidents de la cessation de l'écoulement périodique » (p. 122). Les rêves du sommeil et ceux de la veille se ressemblent et remettent en cause la stabilité du « moi » et de la conscience.

Le Rêve de d'Alembert présente une analyse du phénomène onirique, en fonction de la théorie de l'origine du réseau et des ramifications nerveuses, ce qui amène à distinguer deux types de rêves : les rêves ascendants, de ces fibres au centre originel, et au contraire les rêves descendants, du centre vers les réseaux (p. 153-155). Il manque au rêve le contrôle de l'expérience que fournirait la réalité. Cependant le rêve, d'après Diderot, ne ferait pas perdre le sentiment de l'identité : il est un rêve que l'on ne fait jamais, prétend-il, « c'est qu'on est un autre » (p. 155). Nerval n'en sera pas si sûr.

Inversement, la discussion va faire apparaître quantité de cas où l'identité est altérée, par la maladie, par la « léthargie », par la vieillesse. Ainsi l'histoire du moribond qui lorsqu'il guérit « n'a pas la moindre idée de ce qu'il a dit ou fait dans sa maladie » (p. 133), ou encore du professeur de collège tombé « dans une léthargie qui lui enlève toutes les connaissances qu'il avait acquises » (p. 134), ou de M. de Schellemberg qui, après un choc violent et six semaines de perte de conscience, est redevenu un enfant à qui il faut apprendre à marcher, à lire, à écrire, jusqu'au moment où il devient capable d'écrire « un ouvrage d'histoire naturelle » (p. 135). Ces exemples troublants ne détruisent pas cependant la notion d'identité, bien au contraire ; ils contribuent à situer ce principe dans ce que nous appellerions le cerveau ; « Dérangez l'origine du faisceau, vous changez l'animal », conclut Bordeu (p. 135). Ce centre, cette « origine du faisceau » se situe dans la tête, mais où exactement ? Bordeu parle de « méninges », ce qui est assez vague et familier. L'article « Âme » de l'*Encyclopédie* montrait la difficulté de préciser les termes.

Diderot a rédigé une partie de l'article « Âme »[1] tandis que l'abbé Yvon très orthodoxe rédigeait le début et il y a plus de contradiction entre les deux auteurs qu'il n'y en avait dans l'article « Animal » ; encore Diderot garde-t-il une certaine prudence à laquelle il n'est pas tenu dans *Le Rêve*. Il examine diverses hypothèses : celle de Descartes, pour qui l'âme résiderait dans la « glande pinéale », celle de Vieussens qui la place dans le « centre ovale », origine des nerfs, ensemble de petits tuyaux qui, s'ils se bouchent plus ou moins, entraîneraient la « frénésie », le « délire mélancolique » ; mais personne qui n'ait quelque tuyau bouché, conclut Diderot, non sans humour. L'hypothèse du « corps calleux » de La Peyronie serait la plus solide car elle s'appuie sur des expériences, cependant Diderot n'est pas absolument convaincu : « Voilà donc l'âme installée dans le corps calleux, jusqu'à ce qu'il survienne quelque expérience qui l'en déplace »[2] ; dans une variante des *dialogues,* il parle de « cervelet » ; dans les *Éléments de physiologie,* il parlera enfin de « cerveau »[3].

Sans aller jusqu'à des cas si graves que celui de Schellemberg, Diderot dans *Le Rêve* s'intéresse aussi aux changements de caractère que peuvent amener des troubles physiologiques, et en particulier à la question des « vapeurs » ; Bordeu en a vu plusieurs cas : « Une femme tomba à la suite d'une couche, dans l'état vaporeux le plus effrayant » (p. 137). Une autre jeune femme décide de se refuser au plaisir, « la voilà mélancolique et vaporeuse » (p. 139). Cette série d'exemples complète les précédents : il ne s'agit plus d'altération du cerveau, mais davantage de ce que nous appellerions les hormones, et de ce que Bordeu avait étudié sous le nom de « glan-

---

1. B, I, p. 242 et sq.
2. B, t. I, p. 247.
3. Cf. J. Varloot, DPV, t. XVII, p. 140, n. 164.

des ». Là c'est la maladie des extrémités des fibres qui remonte au cerveau. On ne sera pas étonné de voir que les cas concernent tous des femmes : les vapeurs sont considérées comme une maladie essentiellement féminine[1], quoiqu'il arrive aussi à Diderot dans sa correspondance de se plaindre de vapeurs.

Enfin une troisième série d'exemples montre dans *Le Rêve*, l'interaction du physique et du moral, mais en sens inverse, si l'on peut dire ; l'article « Âme » racontait l'histoire d'une jeune fille qui, terrorisée par des craintes religieuses, n'avait plus de règles, et chez qui les règles étaient revenues lorsque ses craintes avaient été calmées. Le cerveau peut, dans des cas extrêmes, maîtriser complètement les réactions des fibres nerveuses. Ainsi l'opération de la pierre si douloureuse d'habitude, est surmontée par le curé de Moni quand il serre le crucifix contre sa poitrine ; de même chez un « philosophe », « une question de métaphysique ou de géométrie » à résoudre fait oublier son mal d'oreille ; s'agit-il de Diderot qui avait souffert de maux d'oreilles ? mais l'ombre de Pascal est là aussi qui avait traité son mal de dents en résolvant un problème de mathématiques, d'où la comparaison entre le mal de dents et le mal d'oreilles (p. 142). Tous les phénomènes, comme le rêve lui-même peuvent être « montants et descendants »[2], que l'impulsion vienne du centre vers les fibres, ou inversement remonte des fibres vers le centre.

Imagination et création

L'imagination n'est-elle, comme le dit Bordeu, que « la mémoire des formes et des couleurs » ? Mais d'Alembert qui est maintenant réveillé, défend la puissance créatrice de l'imagination (p. 162). La folie est considérée comme une maladie[3], le rêve n'est pas la folie, il se situerait à mi-chemin

1. Voir Hoffmann, *La femme dans la pensée des Lumières,* Ophrys, 1977.
2. Cf. DPV, t. XVII, p. 55.
3. Cf. *ibid.*, p. 56.

entre le délire et la création – ce qui est délire chez d'Alembert est création chez l'écrivain Diderot. Ainsi se trouve esquissée la distinction entre deux formes de l'imagination, distinction qui sera développée ultérieurement et deviendra un principe de l'esthétique chez les lakistes anglais et dans le romantisme européen : on doit distinguer l'imagination maladive et stérile qui empêche de voir la réalité, et l'imagination créatrice qui au contraire permet de voir une surréalité. Les divers cas d'affections psychosomatiques que cite Bordeu (et qui sont relatives aux menstrues) ne sont que des maladies qui font voir des chimères, tandis que l'imagination de d'Alembert et de Mlle de Lespinasse leur permet de voir ce que la science ne peut pas encore affirmer.

S'esquissent une théorie de l'artiste qui sera plus systématiquement exposée dans le *Paradoxe sur le comédien* et l'opposition entre l'homme qui ne fait que suivre son diaphragme et qui est « médiocre », et le « grand homme » (p. 148-149). Diderot décrit ainsi l'être « abandonné à la discrétion du diaphragme. Un mot touchant a-t-il frappé l'oreille, un phénomène singulier a-t-il frappé l'œil, et voilà tout à coup le tumulte intérieur qui s'élève, tous les brins du faisceau qui s'agitent » ; mais qu'en résulte-t-il ? : il n'y a « plus de sang-froid, plus de raison, plus de jugement, plus de [justice], plus de ressource » (p. 149). Bien au contraire, « Le grand homme, s'il a malheureusement reçu cette disposition naturelle, s'occupera sans relâche à l'affaiblir, à la dominer, à se rendre maître de ses mouvements et à conserver à l'origine du faisceau tout son empire » (p. 149). Et Diderot de nous livrer un portrait du « grand homme »[1], portrait qui peut convenir à des individus occupant des fonctions bien diverses : « Il aura quarante-cinq ans ; il sera grand roi, grand ministre, grand politique, grand artiste, surtout grand comédien, grand philosophe, grand poète, grand musicien, grand médecin ; il régnera sur lui-même et sur tout ce qui l'environne [...]. Les êtres sensibles ou les fous sont en

1. Voir le début du *Salon de 1767*.

scène, il est au parterre ; c'est lui qui est le sage » (p. 150). On notera, et nous y reviendrons, l'insistance sur le théâtre : « surtout grand comédien », et la représentation même du monde comme un théâtre. Comme dans le *Paradoxe sur le comédien,* qui est aussi un paradoxe du spectateur, la théorie de Bordeu s'applique non pas seulement au dramaturge, mais au public. Mlle de Lespinasse en effet objecte à Bordeu les plaisirs de l'âme sensible – thème que la littérature de la deuxième moitié du XVIIIe siècle développe à l'excès. Bordeu lui répond que le vrai plaisir du spectateur de théâtre réside dans une vue lucide de la valeur de la pièce, vue où la sensibilité a sa part, mais qui ne suppose pas l'abandon au « diaphragme », et où, bien au contraire, la pleine possession du jugement est nécessaire.

Le Rêve de d'Alembert propose aussi une théorie de la création littéraire qui ramène à la fin du *Rêve* l'image du clavecin si développée dans l'*Entretien* (cf. p. 162-163). Dans le « récit poétique », à la différence du « récit historique », « l'instrument sensible » « omet des circonstances, en ajoute, défigure le fait ou l'embellit » (p. 162). Les autres « instruments sensibles adjacents conçoivent des impressions qui sont bien celles de l'instrument qui résonne, mais non celles de la chose qui s'est passée » (p. 162). C'est grâce à l'association d'idées que se communiquent ces vibrations de l'instrument qu'est l'artiste à ces autres instruments que sont les lecteurs ; la métaphore musicale revient alors en force : « Si vous avez pris la liberté de comparer l'animal à un clavecin, vous me permettrez bien de comparer le récit du poète au chant » (p. 163). Le fait, point de départ du récit, est comparé à un motif, ou à un thème donné au musicien qui va ajouter des « modulations de passage », grâce au jeu des harmoniques, c'est-à-dire des sons secondaires que l'on peut entendre, à côté du son principal, lors de la vibration d'un corps sonore. La théorie harmonique de Rameau est reprise ici très exactement : « Il y a dans tout chant une gamme. Cette gamme a ses intervalles ; chacune de ses cordes a ses harmoniques, et ces harmoniques ont les leurs. C'est ainsi qu'il s'introduit des modulations de passage dans la mélodie et que le chant s'embellit et s'étend » (p. 163). Dans la théorie musicale classique, en effet, les modulations se font entre des tons proches, et la proximité de ces tons correspond à l'enchaînement des harmoniques.

Cependant, comme Mlle de Lespinasse est moins au fait que d'Alembert de la théorie ramiste, et qu'il faudrait « un gros livre » pour expliquer, s'il est possible, les mécanismes de la création littéraire, la discussion prend une autre direction : point de récit possible à partir d'une forme inexistante ; l'imagination ne saurait la concevoir. Mais alors les abstractions ? « Il n'y en a point », tranche Bordeu (p. 164). S'affrontent la médecine expérimentale et les mathématiques, c'est-à-dire Bordeu le médecin et d'Alembert le géomètre. L'abstraction, faite à partir de multiples objets concrets, ne peut être vivifiée que par le retour vers le concret ; de même la discussion philosophique devra sans cesse recourir aux exemples (p. 165).

Cette théorie de l'abstraction repose sur une certaine sémiologie : « Ce sont les signes du langage qui ont donné naissance aux sciences abstraites » (p. 164). En quoi Diderot se rattache bien à la sémiotique des Lumières[1]. Le premier langage des hommes était concret et le langage des « primitifs » conserve toute la poésie des images, parce qu'il a su rester proche du réel, ce n'est que peu à peu que le langage est devenu plus abstrait, plus froid, moins musical. Ce sont les idées que Rousseau avait développées dans l'*Essai sur l'origine des langues* et que l'on retrouve également chez Diderot dans la *Lettre sur les sourds et muets* ; elles président à la création du langage imagé d'Orou dans le *Supplément au voyage de Bougainville*. L'emploi des images dans la discussion et plus encore dans le délire de d'Alembert constitue donc une sorte retour à la langue première et à ce moment où langage et musique n'étaient pas encore séparés. La tentation de

---

1. Cf. S. Auroux, *La sémiotique des Encyclopédistes. Essai d'épistémologie des sciences du langage*, Payot, 1979.

Mlle de Lespinasse de renoncer au langage figuré qui est celui des poètes et des femmes, amène l'élimination des images musicales et au total la fin du texte (cf. p. 163 : « Pourquoi embrouiller la question par ce style figuré ? ») L'abstraction a-t-elle rendu « le langage plus rapide et plus commode » ? (p. 166). Elle a contribué à multiplier les malentendus ; pour que la généralisation que suppose l'abstraction soit possible, il faudrait, objecte Bordeu, que tous les hommes se ressemblent exactement. « Par la raison seule qu'aucun homme ne ressemble parfaitement à un autre, nous n'entendons jamais précisément, nous ne sommes jamais précisément entendus » (p. 166). Le langage qui suppose un certain degré d'abstraction et ne peut jamais représenter l'objet lui-même (sauf peut-être aux origines, d'où l'illusion du cratylisme fréquente du temps de Diderot et que G. Genette a bien étudiée) ; il est donc source de malentendus, et l'on voit dans les toutes dernières pages du *Rêve,* affleurer la théorie des quiproquos à laquelle *Jacques le Fataliste* donne une forme romanesque.

Action et déterminisme

« *Pas un mot de religion* »

Dans une lettre à Sophie Volland du 11 septembre 1769, Diderot parlant du *Rêve de d'Alembert* et de la *Suite,* lui annonce : « Ce qui va bien vous surprendre, c'est qu'il n'y a pas un mot de religion, et pas un mot déshonnête ; après cela, je vous défie de deviner ce que ce peut être. »[1] Pas un mot de religion ? En fait la religion est présente par abstention, si l'on peut dire ; Diderot explique tous les phénomènes que jusque-là on attribuait à une intervention divine : l'existence du monde, le temps, l'éternité, en dehors de toute cause surnaturelle.

Le 12 septembre 1765 il écrivait à Damilaville qui se trouve à Ferney, auprès de Voltaire ; le déisme de Voltaire a été un des points sur lesquels les deux philosophes n'ont jamais pu s'entendre, malgré leur admiration réciproque. Voltaire avait déjà été choqué par le matérialisme de la *Lettre sur les aveugles.* Diderot propose à Damilaville cette petite « fable » qu'il lui demande de rappeler à Voltaire : « Rappelez-lui ma fable sur le misanthrope qui s'était réfugié dans une caverne où il méditait profondément comment il se vengerait de la manière la plus terrible de l'espèce humaine, dont il était mécontent. » « Il faudrait trouver quelque notion à

1. B. t. V, p. 974.

laquelle ils attachassent plus d'importance qu'à leur vie, et sur laquelle ils ne pussent jamais s'accorder » ; et à l'instant il sortit en criant : « Dieu, Dieu. » / Sa voix s'entendit de l'un à l'autre pôle, et les hommes commencèrent à discuter, à se haïr et à s'entr'égorger. C'est ce qu'ils ont fait depuis que cet abominable nom fut prononcé, et ce qu'ils continueront de faire jusqu'à la consommation des siècles. / Dites-lui : « Si un philosophe avait fait une supposition qui expliquât tous les phénomènes, ne seriez-vous pas bien tenté de prendre cette supposition pour une vérité ? Pourquoi donc ne pre-nez-vous pas pour une fausseté une supposition que vous ne pouvez appliquer à aucune question métaphysique, phy-sique, politique et morale, sans l'obscurcir ? »[1]

Expliquer les divers phénomènes sans ce mot « abomi-nable » de Dieu, c'est bien ce que tente *Le Rêve de d'Alembert*. Effectivement le mot est systématiquement évité. Le seul passage où on le relève se situe dans le dialogue entre Bor-deu et Mlle de Lespinasse, à un moment où elle suppose, dans une hypothèse panthéiste, que le monde pourrait avoir aussi ses « méninges », « Mademoiselle de l'Espinasse » : Comment cette espèce de Dieu-là... Bordeu : « La seule qui se conçoive... » (p. 100 ; voir aussi p. 99). Il ne s'agit certes pas du Dieu d'Isaac et de Jacob, du Dieu d'une religion déterminée, mais comme la suite du texte le prouve, de la matière elle-même douée d'intelligence et d'énergie.

Le « vrai » Bordeu avait horreur du fanatisme, cependant il ne semble pas avoir été athée. Avec la vaste expérience d'un médecin, il aurait accepté la pratique religieuse comme un élément du « bonheur », c'est ce qu'il confie à son frère dans une lettre de 1767 ; en 1771, à un parlementaire de Pau, il écrit : « La diable de médecine donne à l'âme une manière d'essor qui l'entraîne quelquefois au-delà des bornes d'une honnête liberté de penser acquise à tout le monde. »[2]

1. B, t. V, p. 529.
2. *Correspondance* de Bordeu, t. III, p. 37 et 83, citée par DPV, t. XVII, p. 36.

Lacaze lui reprochait son pyrrhonisme et J. Varloot conclut : « Le vrai Bordeu semble être resté partisan d'un empirisme dont la valeur unique et suprême est le "savoir". »[1] Les hypothèses les plus audacieuses sont lancées par d'Alembert rêvant et par Julie raisonnant. Bordeu les explicite, les commente. La pensée de Diderot s'exprime à travers ces trois voix dont les tonalités sont différentes.

Si le mot de « Dieu » est évité, ceux de « matérialisme » et de « matérialiste » le sont aussi. Diderot dans les dialogues, comme dans les *Éléments,* évite d'employer ces termes, quoiqu'ils soient entrés dans le dictionnaire de l'Académie française depuis 1762 : ils ont une valeur polémique, et ses adversaires l'en ont taxé dans leurs attaques les plus violentes. « Diderot, écrit J. Varloot[2], ne s'est jamais qualifié de matérialiste, et, il est vrai, la prudence pouvait l'en dissuader. Mais il a laissé entendre qu'il se rangeait parmi les *naturalistes,* nom qu'on donnait "à ceux qui n'admettent point de Dieu, mais qui croient qu'il n'y a qu'une substance matérielle, revêtue de diverses qualités qui lui sont aussi essentielles que la longueur, la largeur, la profondeur, et en conséquence desquelles tout s'exécute nécessairement dans la nature comme nous le voyons ; *naturaliste* en ce sens est synonyme à *athée, spinoziste, matérialiste,* etc." »[3] On sait aussi comment il définit ses convictions dans l'*Encyclopédie* à propos des « spinozistes modernes » : « Le principe général de ceux-ci, c'est que la matière est sensible, ce qu'ils démontrent par le développement de l'œuf, corps inerte, qui par le seul instrument de la chaleur graduée passe à l'état d'être sentant et vivant, et par l'accroissement de tout animal qui dans son principe n'est qu'un point, et qui par l'assimilation nutritive des plantes, en un mot, de toutes les substances qui servent à la nutrition, devient un grand corps sentant et vivant dans un grand espace. De là ils concluent

---

1. Cf. DPV, t. XVII, p. 37.
2. *Ibid.,* p. 47.
3. Voir l'article « Naturaliste », B, t. I, p. 480-481.

qu'il n'y a que de la matière, et qu'elle suffit pour tout expliquer ; du reste ils suivent l'ancien spinozisme dans toutes ses conséquences. »[1]

Matérialismes

Dans le creuset du « matérialisme » de Diderot se rencontrent bien des sources que nous n'avons pas l'intention de résumer ici, et où l'on trouve, outre Spinoza, Descartes, Newton, les empiristes anglais, Leibniz, et d'autres qui comme Spinoza n'étaient pas matérialistes, mais dont les idées ont été reprises et transformées par les courants matérialistes du XVIIIe siècle. Ainsi, par exemple, de l'analyse du mouvement de la matière chez Descartes, partiellement repris par Diderot, mais chez Descartes le mouvement n'est pas essentiel à la matière, le corps en mouvement a été impulsé soit par d'autres corps, soit par Dieu « première cause du mouvement » ; de même pour les exigences rationalistes de Descartes, utilisées par les Philosophes contre la religion. Leibniz distingue les « forces vives » et les « forces mortes » ; d'Holbach et Diderot reprennent cette distinction, pour proclamer qu'il n'existe qu'une seule espèce de forces[2]. Laissant le spiritualisme de Leibniz, ils utilisent son dynamisme. De Spinoza, Diderot a tiré le fameux « fatalisme » de Jacques ; Dieu, pour Spinoza, est inhérent à la matière, mais ce sont les matérialistes du XVIIIe siècle qui infléchissent la pensée de Spinoza en substituant la matière à Dieu[3].

Les histoires de la littérature distinguent, en général, dans le matérialisme français du XVIIIe siècle, un courant mécaniste représenté par La Mettrie et son *Homme-machine* (1747), plus directement dans la lignée cartésienne, et un matéria-

1. B, t. I, p. 484.
2. Cf. J. Chouillet, *Diderot poète de l'énergie,* p. 56-58.
3. Cf. les travaux fondamentaux de P. Vernière, *Spinoza et la pensée française avant la Révolution*, 2 vol., PUF, 1954.

lisme évolutionniste qui serait davantage celui de Diderot : la nature constituée par des corpuscules doués de sensibilité et d'énergie s'organiserait en des ensembles de plus en plus complexes, toutes les espèces animales y compris l'homme formant une longue chaîne de l'évolution. Mais, comme le fait remarquer J. Chouillet, cette façon d'opposer au XVIIIe siècle matérialisme mécaniste et matérialisme vitaliste est un peu simpliste ; Diderot dans la *Lettre sur les sourds et muets* compare « l'homme automate » à une « horloge ambulante ». Mais l'homme automate est une machine qui « se monte elle-même » ; « C'est un type de machine qu'il est impossible de concevoir autrement que sous la forme d'une relation originale, unique, autorégulée et autoconsciente, qui s'appelle l'homme ! D'autre part, et souvent chez les mêmes auteurs, nombreux sont les textes qui font ressortir l'union intime d'une matière représentée sous la forme de l'étendue et d'une force vécue qui n'est autre que cette matière envisagée de l'intérieur – cette force prenant chez l'homme conscience d'elle-même, pour devenir auteur et témoin de son propre mouvement. »[1] Rien d'essentiel, en définitive, ne séparerait le matérialisme de Diderot de celui de Meslier, de La Mettrie et de d'Holbach, même si Diderot n'a pas manqué d'émettre de sérieuses critiques à La Mettrie.

Pour nous en tenir au *Rêve,* on y verra comment mécanisme et vitalisme s'y marient. Michèle Duchet l'a bien montré : « Le schéma que Diderot propose du corps humain, agrégat de molécules sensibles qui s'organisent progressivement en brins puis en faisceaux et en fibres qui convergent vers un centre, est très "mécaniste" encore, mais il n'en est pas moins vrai qu'une étape décisive est franchie : vie intellectuelle et vie affective, loin d'opposer l'homme à la nature entière, de l'isoler des autres espèces, manifestent la présence en lui de cette sensibilité universelle, qui le fait semblable à n'importe lequel des êtres vivants du haut en bas de l'échelle des espèces, et finalement solidaire de la nature

1. J. Chouillet, *op. cit.,* p. 59.

entière, entraîné dans le mouvement par lequel elle se transforme elle-même à chaque instant de sa durée. »[1]

Le *Système de la nature* de d'Holbach paraît en 1770, donc après la rédaction du *Rêve,* mais les nombreuses conversations que Diderot et d'Holbach purent avoir, soit à Paris soit au Grandval, suffiraient à prouver que Diderot connaissait le contenu du *Système de la nature* avant sa publication, et que peut-être même il en avait inspiré certaines pages. Les relations de Diderot avec les milieux matérialistes ne sont plus à prouver[2]. Ainsi chez le commissaire Touche, « ami commun », il passe « toute la journée », en août 1769, donc peu de temps avant de rédiger *Le Rêve,* « avec deux moines qui n'étaient rien moins que bigots. L'un d'eux nous lut les premiers cahiers d'un traité d'athéisme très frais et très vigoureux, plein d'idées neuves et hardies ». Il s'agit du *Vrai système* de Dom Deschamps resté manuscrit jusqu'en 1939[3]. De nombreuses recherches ont été entreprises sur les manuscrits clandestins (par M. Bloch, Mme Artigas-Menant et d'autres) ; ces manuscrits circulaient, ont été recopiés, souvent très lus, parfois publiés partiellement, ainsi le fameux *Testament* du curé Meslier dont des extraits sont livrés au public par Voltaire. Les textes de Diderot s'apparentent d'autant plus à ces manuscrits clandestins, qu'ils sont, pour les plus audacieux, restés eux aussi longtemps inédits, que leur mode de diffusion est d'abord assez limité.

La conquête du matérialisme chez Diderot

Le matérialisme de Diderot est complexe. Les nombreuses études qui lui ont été consacrées ont mis en lumière bien des aspects, mais souvent avec des présupposés idéologiques qui projettent sur un écrivain du XVIIIe siècle des

1. *Histoire littéraire de la France,* Éd. sociales, 1975, p. 513.
2. Cf. notre bibliographie en fin de volume.
3. B, t. V, p. 969 et n. 2.

concepts du XIXe ou du XXe, ainsi des études d'inspiration marxiste, souvent capitales cependant et dont H. Lefebvre avait tracé les voies[1].

Il est prudent d'examiner les textes de Diderot dans leur succession chronologique pour comprendre comment s'est formée sa pensée. Sans vouloir refaire en détail cet itinéraire déjà souvent retracé, on marquera cependant quelques étapes. Les tout premiers écrits, s'ils sont assez libres de présupposés religieux, n'expriment pas cependant un athéisme matérialiste comme le feront les écrits ultérieurs. Dans sa thèse ès arts, Diderot, sorbonnard, se montrait cartésien, mais vite il est attiré par la nouvelle philosophie, celle qui séduit la jeune génération, lectrice passionnée des *Lettres philosophiques* de Voltaire (1734) : l'empirisme et le déisme anglais. Les travaux de traduction qu'il effectue pour répondre à une nécessité matérielle, mais aussi par goût, vont l'aider à préciser sa connaissance de la philosophie anglaise. (*Dictionnaire universel de médecine* de James, 1746-48 ; *Essai sur le mérite et la vertu* de Shaftesbury, 1745.) « Les *Pensées philosophiques,* écrites dans les marges de Shaftesbury, sont un ouvrage sincèrement déiste qui condamne autant l'athéisme que l'intolérance des religions révélées et leurs manifestations absurdes, dont il a l'exemple tout près de chez lui, avec les convulsionnaires de Saint-Médard. »[2] S'il confirme encore son déisme, dans *De la suffisance de la religion naturelle* (1746), il met en scène, dans la *Promenade du sceptique* (1747), des opinions diverses et contradictoires avec les sceptiques, Alciphron et Ménippe, l'athée clairement nommé Atheos, des déistes, Cléobule et Ariste, enfin Oribaze qui est spinoziste et qui semblerait avoir le dernier mot. Diderot à ce moment-là hésite encore et peut-être est-il surtout tenté par l'éclectisme. Son travail de directeur de l'*Encyclopédie,* et l'obligation où il est de donner une présentation d'une

1. H. Lefebvre, *Diderot ou les affirmations fondamentales du matérialisme,* nouv. éd., L'Arche, 1983.
2. L. Versini, B, t. I, p. 5.

grande diversité de pensées risquait de le cantonner dans cet éclectisme. Mais il exprime nettement l'audace de sa pensée dans des articles qui sont en partie de lui comme « Animal » ou « Âme ». Son admiration pour Hobbes et pour Spinoza l'entraîne vers des voies novatrices. L. Versini voit déjà dans *Les Bijoux indiscrets* (1748) l'expression romanesque et fantaisiste du matérialisme biologique de Diderot. Le « Rêve de Mangogul, ou voyage dans la région des hypothèses »[1] pourrait bien annoncer, de très loin, il est vrai, celui de d'Alembert, au moins par la vision d'animaux fabuleux et par l'éloge de l'Expérience. Mais c'est dans la *Lettre sur les aveugles* (1749) que les convictions de Diderot se manifestent dans leur extrême netteté. Toutes nos idées, toutes nos représentations viennent de nos sens. La beauté du monde que ne peut percevoir l'aveugle n'est plus la preuve classique de l'existence de Dieu. « Le monde est le règne du déterminisme physique qui s'oppose radicalement à l'occasionnalisme de Descartes et surtout de Malebranche pour qui Dieu seul est la vraie cause [...], écrit L. Versini. Diderot est désormais en possession de sa philosophe personnelle, le matérialisme biologique. »[2] « La métaphysique de Saunderson repose sur l'idée d'une évolution continue de la matière brute à la matière pensante en passant par la matière animée et sentante [...]. Jalon capital entre Locke et *Le Rêve de d'Alembert*. »[3]

Tandis que les *Pensées philosophiques* (1746) commençaient par « J'écris de Dieu »[4], les *Pensées sur l'interprétation de la nature* (1753) s'ouvrent par cette déclaration ; « C'est de la nature que je vais écrire. »[5] Dans l'alternative de Spinoza *« Deus sive Natura »,* Diderot est passé de façon évidente du premier au second terme. Les *Pensées sur l'interprétation de la nature* sont souvent proches du *Rêve de d'Alembert*. Elles annoncent la fin des mathématiques et de la géométrie au

1. B, t. II, p. 99-102 et p. 206-212.
2. L. Versini, B, t. I, p. 7.
3. L. Versini, B, t. I, p. 136.
4. B, t. I, p. 19.
5. B, t. I, p. 560.

profit de la physique, c'est-à-dire le triomphe de Bordeu sur d'Alembert ou plutôt le triomphe de d'Alembert rêvant sur d'Alembert éveillé : « Nous touchons au moment d'une grande révolution dans les sciences [...] j'oserais presque assurer qu'avant qu'il soit cent ans, on ne comptera pas trois grands géomètres en Europe. Cette science s'arrêtera tout court où l'auront laissée les Bernoulli, les Euler, les Maupertuis, les Clairaut, les Fontaine et les d'Alembert. »[1] En revanche, l'étude expérimentale de la nature est infinie. Les *Pensées sur l'interprétation de la nature* contiennent aussi des réflexions sur la continuité des espèces animales : « Imaginez les doigts de la main réunis, et la matière des ongles si abondante que, venant à s'étendre et à se gonfler, elle enveloppe et couvre le tout ; au lieu de la main d'un homme, vous aurez le pied d'un cheval. » N'y aurait-il pas eu « un premier prototype de tous les êtres » ? Les *Pensées sur l'interprétation de la nature* abordent également la question de la différence sexuelle : « On a découvert qu'il y a dans un sexe le même fluide séminal que dans l'autre sexe. »[2] Une méthode est définie : « Nous avons trois moyens principaux : l'observation de la nature, la réflexion et l'expérience. L'observation recueille les faits, la réflexion les combine, l'expérience vérifie le résultat de la combinaison. »[3] « Les faits, de quelque nature qu'ils soient, sont la véritable richesse du philosophe »[4] et Diderot va jusqu'à présenter un « Esquisse de la physique expérimentale »[5]. Les *Pensées sur l'interprétation* s'attachent déjà à la *Dissertation d'Erlangen* de Maupertuis, avant même qu'elle ait été traduite en français, en 1754 : Diderot a lu l'édition latine de 1751 ; il en cite un passage. On trouve dans les *Pensées* l'image de l'essaim d'abeilles (« les polypes, qu'on peut comparer à une grappe d'abeilles infiniment petites », p. 589), des réflexions sur la

1. B, t. I, p. 561.
2. *Ibid.*, p. 565.
3. *Ibid.,* p. 566.
4. *Ibid.*, p. 567.
5. *Ibid.,* p. 568-569.

génération, sur le sentiment de l'unité du moi grâce à la mémoire[1].

Entre les *Pensées sur l'interprétation de la nature* et *Le Rêve de d'Alembert,* se place chronologiquement la fameuse lettre à Landois qui ne se présente pas comme un ouvrage séparé, mais l'absence de publication de beaucoup de textes de Diderot contribue à remettre en cause la division entre l'écrit public et la lettre confidentielle. La lettre que Diderot envoie à Landois le 29 juin 1756 est une énergique affirmation de la nécessité universelle. « Le mot de liberté est un mot vide de sens. » « Il n'y a qu'une sorte de causes à proprement parler : ce sont les causes physiques. Il n'y a qu'une sorte de nécessité, c'est la même pour tous les êtres. »[2] Cette lettre à Landois est certes importante, mais on trouve dans la correspondance de Diderot en ces années qui séparent les *Pensées* du *Rêve,* de multiples affirmations de son matérialisme. Nous avons déjà eu plusieurs fois à noter cette circulation de la correspondance avec le reste de l'œuvre. Ainsi la lettre à Sophie Volland du 6 octobre, relative au voyage du baron d'Holbach en Angleterre, montre bien comment Diderot rejette le déisme anglais qui pourtant l'avait attiré à ses débuts : « La croyance d'un Dieu fait et doit faire presque autant de fanatiques que de croyants. Partout où l'on admet un Dieu, il y a un culte ; partout où il y a un culte, l'ordre naturel des devoirs moraux est renversé, et la morale corrompue. »[3] La fameuse lettre à Sophie Volland où il espère que ses molécules et celles de Sophie seront réunies dans l'éternité, n'est pas l'expression d'une croyance spiritualiste dans la survie des âmes des amants, mais l'affirmation de l'éternité de la matière[4]. La lettre à Mme de Maux (?) de l'été 1769 sur la production des animaux[5], est reprise textuellement dans l'*Entretien* (p. 45).

1. *Ibid.,* p. 589.
2. B, t. V, p. 56.
3. B, t. V, p. 537.
4. 15 oct. 1759, B, t. V, p. 172.
5. B, t. V, p. 965.

On sentira donc tout l'intérêt des *Pensées sur l'interprétation de la nature* et d'un certain nombre de lettres pour l'étude du matérialisme biologique dans *Le Rêve*. On n'oubliera pas non plus qu'en 1762, Diderot a écrit une *Addition aux Pensées philosophiques,* très violemment anticléricale ; s'il est obligé pour se placer sur le terrain de ses adversaires de parler de Dieu, comme s'il existait, on retrouve, *in fine*[1], un petit conte philosophique assez proche de celui que développe Diderot dans la lettre à Damilaville, destinée en fait à Voltaire, où il montre les dangers du déisme et combien le nom même de Dieu est « abominable ».

Étant donné les modes de composition de Diderot, on ne peut cependant, dans le bref rappel de l'évolution qui conduit au *Rêve*, s'arrêter exclusivement aux textes antérieurs à 1769. On a vu que Diderot n'ayant pas publié son texte de son vivant a eu tout le loisir de le modifier. C'est ainsi que, comme le rappelle J. Varloot, il y eut des ajouts en 1774 dans le sens de l'évolutionnisme. Si les grandes lignes du matérialisme biologique de Diderot sont nettement formulées avant même *Le Rêve de d'Alembert,* elles trouvent dans ce texte leur plus belle expression, mais des œuvres ultérieures viendront apporter des confirmations et des compléments ; ainsi les *Éléments de physiologie.* Diderot, quand il reprend *Le Rêve de d'Alembert* en 1774 pour le donner à Catherine II, rédige un *Avertissement,* selon le titre du manuscrit de Saint-Pétersbourg, ou une *Préface des Dialogues,* titre que donne le fonds Vandeul. Il revient à son projet en 1778. Il veut compléter sa formation médicale, prend de très nombreuses notes, qu'il fait recopier par Girbal. Ainsi apparaît une nouvelle version du *Rêve* : c'est le texte que G. Dulac a retrouvé à Moscou : *Le Rêve* tel que nous le connaissons et les *Éléments de physiologie* y sont mêlés. « Même si cet amalgame dénature *Le Rêve,* juge L. Versini, il est significatif de la continuité entre les deux œuvres. »[2] La documentation de Diderot s'est

1. B, t. I, p. 48-49.
2. L. Versini, B, t. I, p. 1255.

considérablement enrichie, en effet, et il l'utilise pour confirmer ses intuitions du *Rêve*. Il complète ses lectures médicales. Bordeu a publié après 1769, ainsi ses *Recherches sur les maladies chroniques* (1775). Ses élèves se sont mis aussi à écrire : tels Barthez (*Nouveaux éléments de la science de l'homme*, 1778), ou Pierre Roussel (*Système physique et moral de la femme*, 1775). Les thèses essentielles du *Rêve* se trouvent confirmées par de nouveaux exemples : grouillement universel de la nature, vie moléculaire éternelle, dépendance du physique et du moral (pour reprendre le titre qui sera plus tard celui du médecin Cabanis). La conclusion des *Éléments* est une ultime affirmation d'athéisme (B, t. I, p. 1316-1317).

Une vision poétique

Élisabeth de Fontenay a intitulé son beau livre : *Diderot ou le matérialisme enchanté*[1]. À nul texte peut-être mieux qu'au *Rêve,* ce terme de « matérialisme enchanté » ne saurait convenir.

Cet enchantement provient en grande partie de la force d'une vision quasi hallucinée de la nature tout entière, dévoilée par le discours combiné du rêveur et du médecin. Et d'abord cette vue d'une matière en expansion, aussi bien pour ce qui concerne le développement du corps animal que l'univers tout entier. « Rien d'abord, puis un point vivant... À ce point vivant il s'en applique un autre, encore un autre ; et par ces applications successives, il résulte un être un » (p. 68). Le rêveur et le lecteur est entraîné dans ce flux de l'univers : « Tous les êtres circulent les uns dans les autres, par conséquent toutes les espèces... tout est en un flux perpétuel » (p. 93). Cette grande fluidité de la matière en mouvement est liée à cette remise en cause des limites entre les divers « règnes ». « Tout animal est plus ou moins homme ;

1. Grasset, 1981.

tout minéral est plus ou moins plante ; toute plante est plus ou moins animal » *(ibid.)*.

La remise en cause des frontières amène une vision de la transformation des espèces : « Qui sait si ce bipède déformé, qui n'a que quatre pieds de hauteur, qu'on appelle encore dans le voisinage du pôle un homme, et qui ne tarderait pas à perdre ce nom en se déformant un peu davantage, n'est pas l'image d'une espèce qui passe ? » (p. 84). La fermentation de la matière n'est pas épuisée. La nature est encore au travail, suggérait Diderot dans *Les Pensées sur l'interprétation de la nature*[1], ce qui était alors intuition devient vision dans *Le Rêve*. La recherche scientifique n'est pas encore parvenue au point où le transformisme peut être de son registre ; il appartient donc davantage à une vision géniale, qui, pour ne pouvoir être véritablement contrôlée, n'en est que plus hallucinée. Le transformisme de Diderot s'appuie sur une idée qui sera celle de Darwin et de ses disciples : la nécessité, les capacités d'adaptation d'une espèce expliquent sa survie et ses transformations. « Supposez une longue suite de générations manchotes, supposez des efforts continus, et vous verrez les deux côtés de cette pincette s'étendre, s'étendre de plus en plus, se croiser sur le dos, revenir par-devant, peut-être se diriger à leurs extrémités, et refaire des bras et des mains » (p. 92).

Ces perspectives s'accompagnent inévitablement d'une perception du temps immense. La vision cosmique de d'Alembert suppose un élargissement de l'espace et du temps, de ce que l'on pourrait déjà appeler l'espace-temps. Ce rapport du temps et de l'espace est très sensible à propos de Saturne et des possibilités de vie extraterrestre : « Si une distance de quelque mille lieues change mon espèce, que ne fera point l'intervalle de quelques milliers de diamètres terrestres ? [...] que ne produiront point ici et ailleurs la durée et les vicissitudes de quelques millions de siècles ? » (p. 91).

1. B, t. I, p. 596-597.

Le caractère grandiose de la vision provient aussi du rapprochement des contraires, du va-et-vient d'une extrémité à l'autre, et du dépassement des antithèses : l'infiniment grand et l'infiniment petit, l'animal minuscule, le polype, et l'animal énorme (d'où l'éléphant évoqué à deux reprises, comme le plus gros animal alors connu). Mais cette dialectique du petit et du grand envahit bien d'autres champs de réflexion, ainsi le développement du fœtus et de l'enfant né des deux sexes différents : « Vous fûtes, en commençant un point imperceptible, formé de molécules plus petites, éparses dans le sang, la lymphe de votre père ou de votre mère » (p. 103). Et ce point imperceptible est devenu un adulte. Cette opposition entre petit et grand se retrouve dans les troubles psychosomatiques, ainsi quand Mlle de Lespinasse se sent devenir immense, ou au contraire chez cette femme qui se croyait devenue minuscule (p. 121-122), pages étranges traduisant ce rêve qui s'exprime dans *Gulliver* et dans *Alice au pays des merveilles*... Concentration et dilatation sont à la fois le propre de la matière et de l'esprit : « Voilà le dernier terme de la concentration de votre existence ; mais sa dilatation idéale peut être sans borne » (p. 120). Les antithèses se trouvent à la fois exprimées et dépassées, par cette correspondance établie entre les phénomènes physiques et les phénomènes psychiques. On pourrait multiplier les exemples de ce va-et-vient entre les contraires ; ainsi le froid et le chaud (p. 123), inertie et énergie, haut et bas dans le faisceau (p. 127), jeunesse et vieillesse (p. 131), un et multiple ou un et dualité (p. 128-129), individu et groupe (dans l'essaim d'abeilles, ou dans la communauté religieuse évoquée par Mlle de Lespinasse, p. 132), et plus stupéfiant encore vie et mort, peut-être l'antithèse la plus fondamentale pour l'homme ; elle se trouve niée : parce que dans certains cas médicaux, l'individu « s'il était enveloppé de cette apathie en tout sens, [...] nous offrirait un petit homme vivant sous un homme mort » (p. 124, ou encore p. 117), mais surtout parce que, à l'échelle de la succession des espèces, il n'y a pas de véritable mort de la matière éternelle. « Rallumez cet astre, et à l'instant vous rétablissez la cause nécessaire d'une infinité de générations nouvelles » (p. 45).

Tout le texte est bâti sur ces antithèses sublimées qui correspondent à la constitution même de la nature et du vivant : continuité et saut, c'est à la fois le mécanisme de la vie et de l'évolution des espèces, c'est aussi le mécanisme de la pensée de Diderot et de la conversation, faite de continuité et de brusques gambades (cf. p. 140 : « Nous ne composons pas, nous causons »). Multitude des exemples, unité de la démonstration, voilà une des formes que prend la dialectique de l'un et du multiple.

Cette évocation des contraires aboutit finalement à cette conviction que tout se correspond dans la nature, puisque les mêmes phénomènes s'observent dans des domaines apparemment opposés. Les visions du dormeur dans sa demi-conscience sont confirmées par le discours scientifique parfaitement conscient du médecin. Le rêve et la réalité se correspondent. Le discours du poète et le discours du savant sont finalement identiques, même si Diderot, en homme de théâtre accompli, sait donner à chacun de ses personnages son style. Confluence aussi entre l'histoire des espèces, les états psychiques, et les grands mythes. D'où les références aux légendes antiques qui ne sont pas des ornements du style néo-classique, mais la manifestation d'une conscience de l'unité de la nature. Ainsi Encelade et Amphitrite (p. 121), formes mythiques du corps en expansion, ou encore Castor et Pollux (p. 125) qui correspondent aux phénomènes de gémellité monstrueuse observés par Bordeu et au dédoublement psychique (« sens doubles », « mémoire double », p. 128).

Quel langage adopter pour une vision à tel point englobante ? Tous les langages, certes, comme on peut les employer au théâtre dans le « genre moyen ». Et l'on ajoutera encore une antithèse surmontée à toutes celles que nous avons énumérées, l'opposition du « frivole » et du « grave » à propos de la rose de Fontenelle et de son célèbre adage : de mémoire de rose on n'a jamais vu mourir un jardinier (p. 86-87). Mlle de Lespinasse suggère alors une autre antithèse entre le langage de l'homme éveillé et celui du dormeur («folies auxquelles je me permets de rêver quand on dort, mais dont un homme de bon sens qui veille ne s'occupera jamais»), mais Bordeu conteste immédiatement l'antithèse : «Et pourquoi cela, s'il vous plaît ?» (p. 87). En fait, et c'est peut-être le privilège d'une époque où le langage des sciences n'est pas encore devenu trop technique, trop spécialisé et par conséquent hermétique pour le profane, Diderot utilise à la fois le langage grave du philosophe et du savant et le langage frivole, souvent mis dans la bouche de Mlle de Lespinasse, et parfois de Bordeu, mais les allusions libertines que l'on peut glaner, ne sont pas là encore distraction, complaisant clin d'œil au lecteur, elles ont un lien profond avec un texte où la sexualité est si présente. La correspondance entre le langage du rêveur et celui de l'homme de science fait sens également. Le rêve est poésie mais aussi hypothèse scientifique.

Les termes techniques ne sont pas évités : «scrotum» (p. 115) ou encore «hypogastrique» (p. 126) Si «engastrimuthe» peut être contesté à Jacques le Fataliste, «hypograstrique» est très vraisemblable dans la bouche de Bordeu, de même «éréthisme» (p. 154). Le manque de vocabulaire scientifique dans les domaines neufs de la neurologie se marque par le recours aux mots de «brins», de «réseau». Et l'absence même de mots est remarquée par Bordeu, en particulier pour ce qui concerne le toucher, sens traditionnellement dévalorisé par rapport aux sens plus intellectuels, la vue et l'ouïe. «Le reste des brins va former autant d'autres espèces de toucher, qu'il y a de diversité entre les organes et les parties du corps. – Mlle de l'Espinasse : Et comment les appelle-t-on ? Je n'en ai jamais entendu parler. – Bordeu : Ils n'ont pas de nom. – Mlle de l'Espinasse. Et pourquoi ? – Bordeu. C'est qu'il n'y a pas autant de différence entre les sensations excitées par leur moyen qu'il y en a entre les sensations excitées par le moyen des autres organes» (p. 105-106).

Où est la limite entre langage scientifique et langage poétique ?, c'est encore une de ces alternatives indécidables qui jalonnent le texte et qui en forment la véritable substance. Nous l'avons vu pour les références antiques qui ne sont pas ornement de style, mais conscience d'une unité profonde entre la nature et le mythe. On pourrait analyser dans les mêmes perspectives le statut de la métaphore ; le lecteur se rend vite compte qu'il n'y a pas exactement le comparant et le comparé, la métaphore et la réalité. L'essaim d'abeilles, l'araignée peuvent être considérées comme des métaphores de l'organisation de la matière ou du rapport entre les « méninges » et les ramifications nerveuses, mais l'essaim et l'araignée sont aussi partie intégrante de cette vaste organisation ; le rapport de l'araignée et de sa toile est à la fois image et réalité, métaphore et *exemplum*.

Le verbe traditionnellement employé pour la vision prophétique, le « j'ai vu » que Diderot maniait avec humour dans le *Petit prophète de Boehmischbroda,* est utilisé (ex. p. 85) pour introduire cette vision hallucinée, mais pas très différente de ce qu'on pourrait voir dans un microscope, comme l'a fait Needham avec ses fameuses « anguilles », ou dans un télescope, si bien que le verbe « voir » lui-même démontre cette fondamentale ambiguïté entre le rêve et la réalité, entre l'observation du savant et l'imaginaire du Voyant.

On pourrait pousser plus loin les remarques stylistiques ; ainsi l'usage des points de suspension, l'absence de structure logique ferme qui, dans beaucoup de phrases, aboutit à une simple juxtaposition des termes, et à l'énumération, peut-être interprétée de façon variable, et toutes ces interprétations coexistent[1] : ces phénomènes stylistiques peuvent marquer ou bien (et à la fois) l'hésitation, la vision qui se confirme et se détaille, la réflexion qui s'approfondit.

Entre l'interrogation et l'affirmation, deux formes qui sembleraient logiquement s'opposer, s'établit au contraire

1. Voir en particulier J.-P. Séguin, *Diderot. Le discours et les choses,* Klinck-sieck, 1978.

175

une correspondance. L'interrogation serait, *a priori,* davantage du registre de d'Alembert rêvant ou de Mlle de Lespinasse ; Bordeu, fort de toute une science et d'une expérience serait plus affirmatif, mais vite on se rendra compte que cette opposition est de surface, que le voyant affirme, que le savant interroge.

Et ce que l'on pourrait appeler le délire numérique ? « Doublez quelques-uns des brins du faisceau, et l'animal aura deux têtes, quatre yeux, quatre oreilles, trois testicules, trois pieds, quatre bras, six doigts à chaque main » (p. 110). Ce n'est pas le rêveur qui parle, c'est le médecin lucide. Hypothèse ? réalité ? comment trancher ? Il faudrait connaître toutes les espèces de monstres qui peuvent avoir existé ou qui existeront ; à l'échelle temporelle où se situe Diderot, la vérification est impensable ; l'expérimentation si chère cependant au Philosophe se trouve dépassée ; l'hypothèse devient expérience d'une réalité possible. « Si l'on peut, écrit J. Varloot, dissocier du *Rêve,* pour l'étudier, tel moment du dialogue, tel aspect de l'imaginaire, il faut bien y privilégier ce qu'on a appelé la vision cosmique, qui constitue la clé de voûte de tout l'ensemble. Le besoin de *voir* la nature associe en Diderot les sens et la réflexion »[1], c'est-à-dire résout, en la dépassant, l'opposition entre théorie et expérimentation, à une échelle où ni dans le temps ni dans l'espace, il ne peut y avoir de véritable expérimentation ; mais, dans la mesure où il y a correspondance entre le tout et la partie, l'expérimentation à petite échelle suffit à conforter l'hypothèse à grande échelle.

Dieu n'est plus alors cette nécessité qu'invoquait le déisme pour expliquer l'univers et l'on comprend que Diderot puisse dire à Sophie Volland qu'il n'est pas question de religion dans ces dialogues qu'il écrit. Cet enchantement de Diderot est bien celui d'un matérialiste intégral qui est aussi un poète. « Le prodige c'est la vie, c'est la sensibilité ; et ce prodige n'en est plus un », s'exclame d'Alembert (p. 85). Il faut bien donner au sens de « prodige » son sens le plus fort,

1. DPV, t. XVII, p. 57.

avec son arrière-plan de connotation religieuse, proche du miracle, et c'est ainsi que la vie peut à la fois être un « prodige » et ne pas l'être si elle s'explique par une réflexion scientifique[1].

La morale du matérialiste

Dans ce monde du déterminisme athée quels seront les principes de conduite de l'homme ? Que l'athée puisse être vertueux est un lieu commun que les Philosophes ont développé contre leurs adversaires, et effectivement il n'est pas difficile de prouver que l'athée peut avoir le sens moral, que son mérite sera d'autant plus grand qu'il n'attend pas de récompense dans l'au-delà, que sa morale sera essentiellement sociale, reposant sur les exigences du bien commun et le respect de son prochain. L'articulation entre morale et athéisme ne pose pas de problèmes insurmontables. Mais l'articulation entre morale et déterminisme est autrement délicate. La morale suppose la possibilité pour l'homme d'une certaine marge de liberté ; cette marge de liberté existe-t-elle encore dans le matérialisme déterministe qui est celui de Diderot ? Il n'esquive pas la difficulté, loin de là ; il la situe au centre de *Jacques le Fataliste*. Le « fatalisme » issu du néo-spinozisme laisse-t-il à Jacques, à son maître, et aux nombreux personnages qu'ils rencontrent, suffisamment de liberté pour qu'ils puissent choisir entre le vice et la vertu ?

La correspondance se fait l'écho de ce souci d'articuler déterminisme et liberté humaine. Ainsi fin septembre 1769, donc à l'époque du *Rêve,* Diderot écrit probablement à Mme de Maux, suppose G. Roth (H. Dieckmann et G. May ont pensé que c'était à S. Volland, mais peu importe pour notre sujet) : « Si je crois que je vous aime librement, je me trompe. Il n'en est rien. Ô le beau système pour les ingrats ! j'enrage d'être empêtré d'une diable de philosophie que mon

1. Cf. J. Chouillet, *Diderot poète de l'énergie*, p. 49-50.

esprit ne peut s'empêcher d'approuver, et mon cœur de démentir. Je ne peux souffrir que mes sentiments pour vous, que vos sentiments pour moi soient assujettis à quoi que ce soit au monde, et que Naigeon les fasse dépendre du passage d'une comète. »[1]

Faisons la part de l'exaltation amoureuse, il n'empêche les questions morales sont au centre de la pensée de Diderot, on le voit dans son théâtre, mais aussi dans les contes, dans sa réflexion politique, et c'est peut-être le désir de les traiter qui l'a amené à ajouter au *Rêve* une *Suite*. Diderot et d'Alembert en sont absents, il ne reste que Bordeu et Mlle de Lespinasse, ce qui permet la poursuite du dialogue entre le féminin et le masculin, et entre deux êtres qui sont présentés comme fondamentalement libres de préjugés : le médecin en quelque sorte par profession, la femme par cette audace de la pensée qui n'a cessé de se manifester au cours du *Rêve* et qui s'affirme pleinement, maintenant que toute censure de d'Alembert est exclue. Tête-à-tête du médecin et de la femme ; « les domestiques » se sont éloignés. Le verre de malaga que Mlle de Lespinasse verse à Bordeu aidera à la confidence et, comme le dit Bordeu, « Nous sommes seuls, vous n'êtes pas une bégueule » (p. 172).

Le catholicisme est braqué sur la morale sexuelle, et pour le déterministe il s'agit bien d'un domaine litigieux : faut-il tout justifier par le fonctionnement des « glandes » pour prendre le langage des médecins de l'époque, nous dirions des hormones ? La nature peut-elle servir de guide au moraliste ? Et qu'est-ce qui est naturel et qu'est-ce qui ne l'est pas ? La religion tantôt fait appel à la prétendue « nature » pour condamner l'homosexualité, tantôt, au contraire, la récuse pour condamner l'union libre. Sade ne tardera pas à affirmer que tout est dans la nature, et Diderot l'annonce très directement, en ce que, comme Sade, il exprime tout un courant du matérialisme du XVIIIe siècle : « Tout ce qui est ne peut être ni contre nature ni hors de nature » (p. 181).

1. B, t. V, p. 979.

La sexualité est abordée dans des perspectives médicales et donc avec un vocabulaire relativement technique : « Quand on parle science, il faut se servir des mots techniques », affirme Bordeu, et d'Alembert, en savant, est bien obligé d'acquiescer (p. 115). Nous sommes donc à l'opposé du vocabulaire à double entente, pratiqué avec virtuosité dans *Les Bijoux indiscrets* et bon pour un roman exotique ; à l'opposé aussi de cet art de la litote qui triomphe dans les romans du libertinage et dont Laclos donnera le plus brillant exemple avec *Les Liaisons dangereuses*. Vocabulaire technique donc, mais français ; le latin affectionné dans ces domaines par les savants comme par les pornographes est exclu[1]. La science, pour les Encyclopédistes, doit s'exprimer en français.

La chasteté n'est d'aucune utilité ni pour la société ni pour l'individu (p. 174). Un certain nombre de tabous vont se trouver dénoncés ; ainsi celui des pratiques solitaires. Le thème est déjà annoncé par l'éjaculation de d'Alembert pendant son rêve. « Je ne sais où il avait caché sa main. Il paraissait éprouver une convulsion. Sa bouche s'était entrouverte, son haleine était pressée ; il a poussé un profond soupir, et puis un soupir plus faible et plus profond encore ; il a retourné sa tête sur son oreiller et s'est rendormi » (p. 82-83). L'hypothèse de la planète où les hommes se reproduiraient comme des poissons vient étayer cette scène. Mlle de Lespinasse, « émue sans savoir pourquoi », participe à la scène par son émotion et n'est pas choquée par l'hypothèse du « frai » : « Auprès de moi, loin de moi, c'est tout un » (p. 83) remet en question la notion de plaisir « solitaire ». L'explication médicale de cette éjaculation pendant le sommeil sera fournie par Bordeu, et par sa théorie des « brins » et des réseaux (p. 154), soit que ce soit la « glande » qui provoque le rêve ou le rêve qui provoque le fonctionnement de la « glande », selon la distinction du rêve ascendant et du rêve descendant (cf. *supra*).

De la demi-conscience du rêve, on passe dans la *Suite* à la pleine conscience de l'éveil et de la volonté : « les actions

1. Sauf une brève parodie du latin des confesseurs, p. 42.

solitaires » (p. 175) ont été mainte fois condamnées dans les ouvrages de morale inspirés par le christianisme ; les manuels des confesseurs leur donnent une grande place. Certains médecins ont voulu prouver que ces pratiques étaient funestes pour la santé, en particulier celle des adolescents. Cette question semble si importante que des traités paraissent sur le sujet, ainsi en 1760 le *Traité sur l'onanisme* de Tissot (1728-1797), médecin de Genève, qui condamne l'onanisme et auquel Diderot répond dans cette *Suite*. De façon comique, *Le Neveu de Rameau* revient à cette question : Diogène s'il était pressé et que la courtisane fût occupée, « rentrait dans son tonneau et se passait d'elle »[1]. Diderot prétend que l'onanisme est nécessaire à la santé, et les causes physiologiques et sociales sont analysées assez longuement : manque d'argent, peur de contracter des maladies vénériennes, conséquence d'une absence de contraception efficace à cette époque. Le plaidoyer pour l'onanisme est assez complet (p. 176-177) et se prolonge par l'exemple des cas que le médecin Bordeu a eu à traiter. Diderot renverse l'argument selon lequel ces pratiques seraient contraires à la nature, essentiellement reproductrice : « La nature ne souffre rien d'inutile ; et comment serais-je coupable de l'aider, lorsqu'elle appelle mon secours par les symptômes les moins équivoques ? » (p. 177). Le critère de la reproduction est donc éliminé au profit de celui de plaisir : le plaisir est voulu par la nature et nécessaire, tout autant que la continuation de l'espèce.

On pourra s'étonner, étant donné la liberté d'allure de ce texte qui n'était pas destiné à une publication immédiate, que Diderot n'aborde que furtivement et *in fine* un autre tabou de l'époque : l'homosexualité, sujet qu'il avait cependant largement mis en scène dans *La Religieuse* et qui aurait permis de prolonger les réflexions sur le clivage masculin/féminin. L'homosexualité, surtout masculine, est un

---

1. B, t. II, p. 693. Voir la référence à Diogène dans la *Suite de l'Entretien*, GF, p. 173 et 177.

délit très grave et par conséquent demeure cachée, mais elle est suffisamment répandue pour que la question eût à être abordée. On verra peut-être une allusion assez favorable dans le concept de « plaisir sans utilité » pour la reproduction (p. 180). Mais, au moment où Bordeu s'en va, visiblement pressé par le temps, il répond à la question de Mlle de Lespinasse par une explication que l'on pourra juger un peu rapide et dépréciative, alors qu'il eût pu poursuivre les hypothèses plus valorisantes du *Banquet* sur l'hermaphrodisme. « Mlle de l'Espinasse : Ces goûts abominables, d'où viennent-ils ? – Bordeu : Partout d'une pauvreté d'organisation dans les jeunes gens, et de la corruption de la tête dans les vieillards ; de l'attrait de la beauté dans Athènes, de la disette des femmes dans Rome, de la crainte de la vérole à Paris. Adieu, adieu » (p. 186).

En revanche, c'est en toute liberté que Diderot avance la question de l'animalité qui peut-être dans les perspectives évolutionnistes qui sont les siennes, présentait plus d'intérêt. La rareté des cas en ville permet peut-être aussi une liberté de l'imagination que Diderot n'aurait pas pour l'homosexualité. La question a été immédiatement lancée par Mlle de Lespinasse : « Que pensez-vous du mélange des espèces ? » Bordeu n'y répond pas immédiatement et distingue (ce qui souligne d'ailleurs le lien profond dans tous ces textes des trois registres) : « Votre question est de physique, de morale et de poétique » (p. 173), puisqu'il s'agit « de créer des êtres qui ne sont pas, à l'imitation de ceux qui sont » (p. 174), l'aspect poétique est vite dépassé (avec cependant d'intéressantes références aux principes classiques de l'utile et de l'agréable qui réapparaîtront dans le domaine de la physique, p. 182). L'aspect moral est complètement refusé par Mlle de Lespinasse qui réclame des considérations « de physique » (p. 182). La question du Temps est alors amenée, le temps indispensable à l'évolution des espèces, ce temps qui dans *Le Rêve* était à la base du transformisme ; réapparaît aussi la question de l'alimentation qui avait été centrale dans l'*Entretien* : l'alimentation deviendrait assimilation si les hommes buvaient du lait de chèvre et si les chèvres mangeaient du pain (p. 183).

La dimension morale n'est pas abandonnée cependant ; elle revient en force au contraire et débouche sur le problème du colonialisme qui va être de plus en plus présent dans la pensée de Diderot avec sa collaboration à l'*Histoire des deux Indes* de Raynal. Au début de novembre 1769, il lira aussi, grâce à Dubucq, les lettres adressées au ministère de la Marine par Dumas depuis l'île de France (île Maurice). Il est horrifié : « Ah ! mon amie, les larmes me sont venues cent fois aux yeux. Est-ce qu'on traite ainsi des hommes ? »[1] Cette étrange création d'individus intermédiaires entre la chèvre et l'homme − qui reprend le vieux mythe des chèvres-pieds, dans une de ces analogies que nous avons signalées entre l'histoire de la matière et l'histoire des mythes −, permettrait, pense Diderot, de résoudre le problème économique et humain de l'esclavage : « Nous ne réduirions plus l'homme dans nos colonies à la condition de bête de somme » (p. 184). Vercors imaginera lui aussi ces *Animaux dénaturés,* et la science-fiction en a abusé. Pour en rester à la fin du XVIIIᵉ siècle, l'imagination en liberté crée des monstres à profusion, qu'il s'agisse de Casanova et de son *Icosaméron* ou de Rétif de La Bretonne et de ses anticipations fantastiques.

Cependant les propos fous de Mlle de Lespinasse et de Bordeu montrent bien *in fine* que les hommes-chèvres ne résoudront pas le problème du colonialisme. Mlle de Lespinasse imagine une prise de pouvoir par les hommes-chèvres : « Ils multiplieront sans fin ; à la longue il faudra les assommer ou leur obéir » (p. 185). Les fantaisies de l'imagination, fût-elle apparemment appuyée sur la science, ne suffisent pas à apporter des solutions aux problèmes de la cité[2].

1. Lettre à Mme de Maux, B, t. V, p. 990.
2. Voir *supra,* et DPV, t. XVII, p. 67 et t. XVIII, p. 318 et sq.

Ce point extrême de la *Suite* souligne les implications politiques de ces considérations biologiques. Elles étaient déjà marquées au niveau des métaphores. Certes, ce type de comparaisons n'est guère original ; on le trouve dès l'Antiquité ; La Fontaine en fait grand usage ; utilisées dans un univers biologique aussi nouveau, elles n'en prennent pas moins une signification renouvelée. Suivant le rapport qui s'établit entre le pouvoir central que représente le cerveau et les divers « brins », « l'animal est sous le despotisme ou sous à l'anarchie » (p. 136). Les « vapeurs » sont « l'image d'une administration faible, où chacun tire à soi l'autorité du maître [...]. Je ne connais qu'un moyen de guérir ; il est difficile, mais sûr ; c'est que l'origine du réseau sensible, cette partie qui constitue le soi, puisse être affectée d'un motif violent de recouvrer son autorité » (p. 136). Bordeu n'a pas le temps d'expliciter ce remède, mais Diderot, lui, le développera dans son œuvre de fiction, ainsi dans *Mystification*. Il donne cependant un exemple, celui de cette femme vaporeuse décidée à « guérir » ou « périr » : « Il s'établit en elle une guerre civile dans laquelle tantôt c'était le maître qui l'emportait, tantôt c'étaient les sujets » (p. 138).

La volonté pourrait-elle donc avoir un pouvoir qui infléchirait le déterminisme ? Les *Éléments de physiologie* consacrent un chapitre à la « Volonté » qui ne s'écarte pas d'un déterminisme rigoureux : « La volonté n'est pas moins mécanique que l'entendement. La volition précède l'action des fibres musculaires ; mais la volition suit la sensation ; ce sont deux fonctions du cerveau ; elles sont corporelles. »[1] En quelques lignes, Diderot propose alors un dialogue entre deux philosophes disputant sur la volonté. « L'un dit : "L'homme est libre, je le sens." L'autre dit : "L'homme n'est pas libre, je le sens." Le premier parle de l'homme abstrait, de l'homme qui n'est mû par aucun motif, de l'homme

---

1. B, t. I, p. 1298.

qui n'existe que dans le sommeil, ou dans l'entendement du disputeur. L'autre parle de l'homme réel, agissant, occupé, mû. » La suite du texte nous rapproche encore davantage des *dialogues* : c'est en quelque sorte le résumé de la journée de d'Alembert éveillé. Il a travaillé toute la journée, le soir il retrouve une assemblée de philosophes. « Loin d'avoir été libre, il n'a pas même produit un seul acte exprès de sa volonté : il a pensé, il a senti, mais il n'a pas agi plus librement qu'un corps inerte, qu'un automate de bois qui aurait exécuté les mêmes choses que lui »[1], passage qui fait écho très exactement à la tirade de Bordeu : l'homme qui est éveillé est encore moins libre que l'homme qui rêve (p. 156-157).

Les implications politiques de ce déterminisme sont évidentes : le despotisme ou l'anarchie ne seront pas des résultats de la volonté des hommes, mais du déterminisme géographique, historique, économique. Montesquieu avait montré comment le climat, la taille des états sont des éléments déterminants dans les systèmes de gouvernements, sans pour autant nier la part de liberté qui peut rester aux hommes. Pour Diderot, cette volonté centrale qui permet le triomphe de la femme sur ses vapeurs, ou du prince sur l'anarchie, n'est pas libre elle-même. « Je ne vous dirai de la liberté qu'un mot, c'est que la dernière de nos actions est l'effet nécessaire d'une cause une : nous, très compliquée, mais une » (p. 157). Le moi, comme le gouvernement, résulte d'un certain nombre de déterminismes.

Que devient la morale dans ces conditions et que fera le philosophe dans la cité ? Diderot ne peut se tirer de cette aporie où le conduit cette « diable de philosophie » déterministe et son exigence morale que par une sorte de dédoublement – qui est lui-même une fatalité déterminée par son tempérament et la société dans laquelle il vit. On notera que le mot de « déterministe » n'est pas employé par Diderot ; il n'apparaîtra qu'en 1793, tandis que « fatalisme » et « fata-

1. B, t. I, p. 1299.

liste » étaient admis par le *Dictionnaire de l'Académie* dès 1762. D'où l'usage du mot « fatalisme » par Diderot faute de mieux et là où nous préférerions employer le mot « déterminisme ». D'autre part, les rapprochements que l'on fait inévitablement avec *Jacques le Fataliste* ne doivent pas négliger qu'il y a une part d'ironie dans le titre et dans le personnage même de Jacques[1]. Le déterminisme de Diderot est autrement subtil que le fatalisme de Jacques.

Dans la *Réfutation d'Helvétius,* Diderot écrit : « On est fataliste, et à chaque instant on pense, on parle, on écrit comme si l'on persévérait dans le préjugé de la liberté, préjugé dont on a été bercé, qui a institué la langue vulgaire qu'on a balbutiée et dont on continue à se servir, sans s'apercevoir qu'elle ne convient plus à nos opinions. On est devenu philosophe dans ses systèmes et l'on reste peuple dans son propos. »[2] Le mot lui-même de « liberté » né de déterminismes sociaux, linguistiques, est une nécessité pour que la société puisse fonctionner. Mais le médecin, le philosophe ne s'en laissent point « imposer par des mots » (p. 180) : ils connaissent à la fois la nécessité qui a présidé à leur naissance et la nécessité que leur emploi continue pour que la société fonctionne.

La morale du philosophe, c'est l'utilité, la bienfaisance ; peut-être n'est-il pas utile ni bienfaisant que les vérités dévoilées par Bordeu soient immédiatement connues d'un vaste public, et ce serait encore une raison pour ne pas se précipiter dans la publication, ou pour se résoudre à une diffusion réduite. Il y aura donc une distance entre morale pratique et morale théorique, entre les vérités foudroyantes, les hypothèses bouleversantes que Bordeu et Mlle de Lespinasse peuvent élaborer dans le secret d'un salon, une fois les domestiques retirés, et l'attitude des personnages des contes ou du théâtre qui ont à vivre dans le monde quotidien. On se

1. Voir B. Didier, *Jacques le Fataliste et son maître,* Gallimard, « Foliothèque », 1998, p. 113 et sq.
2. B, t. I, p. 855.

reportera à un autre « Entretien », non plus de philosophes entre eux, mais d'un père et de ses enfants. Le sage doit-il se soumettre à la loi ? « Toutes étant sujettes à des exceptions, c'est à lui qu'il appartient de juger des cas où il faut s'y soumettre ou s'en affranchir », dit « Moi », le philosophe, et le père lui répond : « Je ne serais pas trop fâché [...] qu'il y eût dans la ville un ou deux citoyens comme toi, mais je n'y habiterais pas, s'ils pensaient tous de même. »[1] Tout en sachant de quels déterminismes est faite la loi morale, Bordeu ne met pas en pratique son relativisme ; « la pureté connue de [ses] mœurs » (p. 180), c'est-à-dire leur conformité à la morale courante, est rappelée, et il avoue : « Je n'ôterais pas mon chapeau dans la rue à l'homme suspecté de pratiquer ma doctrine ; il me suffirait qu'on l'appelât un infâme. Mais nous causons sans témoins et sans conséquence et je vous dirai de ma philosophie ce que Diogène tout nu disait au jeune et pudique Athénien contre lequel il se proposait de lutter : "Mon fils, ne crains rien, je ne suis pas si méchant que celui-là" » (p. 179).

L'écrit du philosophe est-il alors privé de toute utilité, destiné à être toujours confidentiel ? Le fait même d'écrire repose sur une foi dans des lecteurs futurs. Bordeu parle, mais Diderot écrit. Et le philosophe sait bien qu'il en est de l'histoire des idées comme des espèces animales : il faut du temps à leur développement, même si les transformations des mentalités sont moins lentes que les transformations biologiques. Les progrès stupéfiants de la biologie, comme l'assouplissement des lois morales auxquels nous assistons confirment la fécondité des audaces de Diderot.

1. B, t. II, p. 502.

L'unité vivante de l'œuvre

Au cours de cette étude nous avons eu l'occasion à plusieurs reprises de montrer la circulation des thèmes entre *Le Fils naturel* et les *Entretiens* d'une part, *Le Rêve de d'Alembert*, d'autre part. La sensibilité, la musique, le langage et ses malentendus, le génie du « grand homme », la présence du modèle antique constituent des thèmes et des références communs. Mais on pourrait les retrouver dans d'autres œuvres de Diderot, et il n'y aurait rien d'étonnant à constater chez un écrivain une profonde cohérence, dans la diversité parfois paradoxale des propos. Nous avons voulu aller plus loin en montrant le lien qui chez Diderot unit théâtre et biologie, lien qui se marque à divers niveaux. Et d'abord le plus évident, parce qu'il se manifeste dans la forme même : *Le Rêve* par bien des aspects se présente comme une pièce de théâtre, et a tenté plus d'un metteur en scène. La plus belle réussite fut celle de Jacques Nichet à l'Orangerie de Sceaux, me semble-t-il. On peut alors se demander de quoi la forme est le signe, comment théâtralité et déterminisme biologique entretiennent des rapports consubstantiels et comment la conception du rôle du corps, de l'acteur, du réalisme au théâtre trouvent leur fondement dans la philosophie de Diderot. Cette continuité entre les deux registres de la création n'apparaîtrait-elle pas alors comme la manifestation de cette profonde unité du vivant qu'il ne cesse de proclamer ?

À douze ans de distance, s'établit un curieux parallélisme entre les deux groupes de textes. Les trois entretiens annoncent dans leur division tripartite, en elle-même assez classique, les trois textes qui constituent *Le Rêve*, tant Diderot a besoin d'écrire sous forme d' « entretien » ou de « dialogue » – c'est ainsi qu'il désigne dans sa correspondance la première rédaction de l'*Entretien entre d'Alembert et Diderot* et *Le Rêve de d'Alembert*. Le dialogue est fortement construit et, sous son apparente liberté, il progresse ; cette division ternaire en est le signe, comme, à l'intérieur même de chaque entretien, l'entrelacement des thèmes, et leur retour qui n'est pas redite, mais plutôt progression en spirale. Les *Entretiens sur le Fils naturel* sont à la fois un commentaire critique de la pièce elle-même et une scène théâtrale, avec des éléments de décor, les changements de ce décor étant fortement indiqués au début et à la fin de chaque « acte » que constitue chaque entretien. La disposition des répliques est bien celle du dialogue théâtral, d'un théâtre à deux personnages seulement, quoique le phénomène du théâtre à l'intérieur du théâtre, lorsque Dorval et Moi donnent des exemples, élargisse considérablement la population sur cette scène imaginaire.

Cependant cette théâtralité, sensible dans les *Entretiens sur le Fils naturel,* éclate de façon plus manifeste dans les trois autres dialogues, *Entretien entre d'Alembert et Diderot, Le Rêve de d'Alembert, Suite de l'Entretien.* Là plus encore les interlocuteurs deviennent des personnages, pris dans la réalité, nous l'avons vu, mais transformés par l'art. La pluralité des voix et des registres permet cet effet, avec une voix féminine et trois voix masculines, celle du philosophe, du savant et du médecin. Discrètement, à l'arrière-plan, se dessinerait même la possibilité d'une intrigue nécessaire au théâtre, Mlle de Lespinasse passant du rôle de garde-malade de d'Alembert à celui d'inspiratrice de Bordeu. Mais cette transformation des rôles, plus qu'une signification sentimentale, a un sens philosophique : il s'agit d'avancer plus loin dans la réflexion sur la nature, ses lois et les conséquences qu'implique la découverte de ses mécanismes. Aventure plus intellectuelle qu'affective ? mais le refus de toute séparation entre le corps et l' « âme » ne rend-elle pas cette distinction caduque ? Les gestes, les silences sont marqués par des didascalies qui sont bien du même ordre que celles que Diderot emploie dans *Le Fils naturel* ; un minimum de mobilier nécessaire est indiqué : lit de d'Alembert, verre de malaga pour le docteur, café à la suite d'un repas qui s'est passé dans l'entracte.

De même que dans les *Entretiens sur le Fils naturel*, les exemples permettaient un effet de théâtre à l'intérieur du théâtre (projet de ballet, de scène d'opéra, d'une version tragique et d'une version comique de la pièce), *Le Rêve* introduit un autre registre théâtral : la scène se dédouble. Il y a celle que jouent Diderot, d'Alembert lucide, puis dormant ou se réveillant, Bordeu et Mlle de Lespinasse, mais cette scène s'ouvre elle-même sur un autre spectacle, beaucoup plus fascinant, celui de la vision de d'Alembert, spectacle auquel sont conviés, dans la mesure où il y a participation, les personnages et le lecteur. Cet autre spectacle ne répondrait plus au système théâtral auquel appartiennent les personnages, il recourt à d'autres moyens ; si un metteur en scène voulait le faire voir à un public moderne, peut-être se servirait-il de projections cinématographiques. On imaginerait assez bien un spectacle à deux niveaux comme le pratiquait la Lanterne magique de Prague dans les *Contes d'Hoffmann* : tandis que les acteurs seraient sur la scène, des projections sur la toile de fond ou mieux encore sur des écrans multiples donneraient à voir cet autre spectacle, celui de l'univers, avec ses étonnantes métamorphoses, ses passages bouleversants de l'inertie au mouvement, de la pierre à l'animal. Alors le polype devient un personnage ; et la rose de Fontenelle parle, il n'y a plus guère de différence entre un essaim d'abeilles et un couvent de moniales. Un dialogue inventé dans le délire et qui transpose l'entretien entre d'Alembert et Diderot a servi de relais entre ces deux niveaux de la théâtralité. Ces abeilles, « Les avez-vous vues ? – Oui, je les ai vues. – Vous les avez vues ? – Oui, mon ami, je vous dis que oui » (p. 72). Entre la scène autour du malade et la scène de l'univers, il y a encore une troisième scène, celle du délire où, par exemple, d'Alembert demande à Mlle de Lespinasse de couper la grappe d'abeilles, et lui indique les gestes à accomplir « Approchez doucement, tout doucement » (p. 75) : l'expérimentation est mise en scène, le savant est dramaturge dans la mesure où l'expérimentation lui donne la possibilité d'organiser pour un moment la matière. Et l'importance donnée par Diderot à l'expérience répond non seulement à une exigence du raisonnement scientifique des Lumières, mais à un désir de dramaturge. Inversement, pour l'auteur dramatique mettre des personnages sur la scène, c'est préparer les conditions d'une expérience de physique ou de chimie, voir les réactions des « corps » en présence.

Matière et énergie

Un lien étroit entre le déterminisme de Diderot et sa conception du théâtre apparaît dans le rapport entre fatalité et liberté. En reprenant le vieux thème de l'inceste et le topos de la reconnaissance, Diderot renoue avec la grande tragédie antique. Le père, si présent dans ses pièces, qu'il soit mort ou vivant, est le symbole même de ce déterminisme biologique. On ne choisit pas son père, pas plus que l'homme ne peut, à une échelle plus vaste, régler les déterminismes de l'univers où « tout est écrit là-haut » pour reprendre l'expression de Jacques le Fataliste. Mais l'homme doit faire comme s'il était libre. Jacques agit comme s'il l'était, et, à tout prendre, il est autrement efficace que son maître qui cependant professe une doctrine volontariste, mais ne fait rien. Le héros de théâtre solidement entravé par les déterminismes dont le père est le symbole, mais qui sont multiples, sociaux, esthétiques également – Diderot ne se dégage que difficilement de l'esthétique classique et des fameuses « unités », sinon par une marge d'ironie –, se donne à voir cependant comme un être libre et capable d'une décision morale : renoncer à Rosalie, par exemple. La scène de reconnaissance prend alors un sens nouveau : c'est la reconnaissance de ce déterminisme qui unit le fils à son père et qui par conséquent interdit l'inceste, auquel Dorval avait déjà renoncé par ce qu'il croyait être l'effet de sa volonté et l'héroïsme de l'amitié. Le cliché devient alors une figure du déterminisme, à une époque où le théâtre en est embarrassé plus que jamais, et où la recherche scientifique découvre mieux les lois de ce déterminisme de l'univers. La réforme théâtrale que préconise Diderot est donc en étroite connexion avec sa réflexion sur les mécanismes du vivant.

Et c'est pourquoi il faut revoir la notion de réalisme à ce moment de l'histoire de la pensée scientifique et esthétique. Cette exigence de réalisme qui se manifeste et que Diderot proclame dans les *Entretiens,* est essentiellement une exigence philosophique ; la scène doit représenter le monde dans sa totalité, et non un petit cercle mondain et aristocratique, ou, dans le cas de l'opéra, les aventures des dieux et des déesses. Diderot dans les *Entretiens* souligne le rapport qui existe entre la démarche scientifique et esthétique des Lumières : « Des hommes de génie ont ramené, de nos jours, la philosophie du monde intelligible dans le monde réel. Ne s'en trouvera-t-il point un qui rende le même service à la poésie lyrique, et qui la fasse descendre des régions enchantées sur la terre que nous habitons ? » (p. 1182). L'exigence scientifique et esthétique a aussi des incidences morales. Il faut représenter la totalité parce que tout est dans la nature, le bien comme le mal. D'où l'interrogation finale du théâtre de Diderot qui s'exprime dans le titre même de sa dernière pièce, *Est-il bon ? Est-il méchant ?,* aboutissement inévitable de sa philosophie et de sa dramaturgie. Cette marge de liberté morale que Dorval croyait encore avoir s'amenuise, et le héros se situe alors forcément dans une zone indécidable entre le vice et la vertu ; il devient, à l'image même de l'univers, cette totalité qui contient à la fois le bien et le mal.

Image de l'univers, le jeu théâtral devra donner une place prioritaire au corps et à la pantomime : sur ce point encore le lien entre les *Entretiens sur le Fils naturel* et *Le Rêve de d'Alembert* éclate. Certes rien n'empêcherait un metteur en scène spiritualiste de donner une grande place au mime, et Jacques Copeau en sera un exemple, mais dans le cas de Diderot, la revendication des droits du corps sur la scène est faite dans un tout autre esprit : parce que le monde est matière, parce que le théâtre est image du monde, le corps doit être omniprésent sur la scène, et dans ses manifestations les plus voyantes : gestuelle de l'excès, cris, pleurs. Tout ce pathos que Diderot aime aussi dans la peinture et qui pourrait nous sembler déclamatoire, affirme que l'homme est avant tout matière. Matière animée. Et c'est l'acteur qui est chargé de représenter cette énergie de l'univers, cette énergie qui explique le passage de l'inertie au mouvement, de la pierre à la plante, puis à l'animal. Le jeu de l'acteur est par lui-même une réponse à la question de d'Alembert : « Mais quel rapport y a-t-il entre le mouvement et la sensibilité ? » (p. 37). L'acteur est celui qui permet de représenter le passage de la sensibilité inerte à la sensibilité active. C'est l'acteur qui donne, par ses gestes, par sa voix, par la présence de son corps, l'énergie au discours. « Ce qui émeut toujours, ce sont des cris, des mots inarticulés, des voix rompues, quelques monosyllabes qui s'échappent par intervalles, je ne sais quel murmure dans la gorge, entre les dents. [...] La voix, le ton, le geste, l'action, voilà ce qui appartient à l'acteur ; et c'est ce qui nous frappe surtout dans le spectacle des grandes passions. C'est l'acteur qui donne au discours tout ce qu'il a d'énergie. C'est lui qui porte aux oreilles la force et la vérité de l'accent » (p. 1144-1145). On ne saurait trop relire ce texte des *Entretiens* qui donne la clé de l'esthétique dramatique et musicale de Diderot, en la rattachant étroitement à sa conception philosophique. On remarquera d'abord que, comme pour souligner cette convergence, le trouble passionnel donné par Diderot en modèle à l'acteur, est bien celui qu'il prêtera à d'Alembert dans ses moments de vision : cris, mots inarticulés, murmure que Mlle de Lespinasse ne parviendra pas toujours à transcrire. Par la force d'une vision

194

hallucinée, d'Alembert s'identifie au mouvement de l'univers, il en est le mime, le comédien. Grâce au rêve, il acquiert ce mimétisme du grand acteur. Inversement, et de façon complémentaire, l'acteur sur scène est investi du pouvoir de rendre sensible au spectateur cette énergie qui est la clé de l'univers. Comme l'avait déjà bien senti Jacques Chouillet[1], la notion d'énergie fait le lien entre les théories dramatiques et les théories biologiques de Diderot.

L'œuvre : un organisme vivant

Notre réflexion conjointe sur *Le Fils naturel* et sur *Le Rêve de d'Alembert*, se prolongera volontiers par quelques considérations sur l'ensemble de l'œuvre. N'entretiendrait-elle pas une parenté avec la représentation de l'univers et de la scène qu'elle nous propose, pulvérisant par là toute distinction scolaire entre forme et fond. L'œuvre de Diderot nous apparaît tout entière comme un grand organisme vivant, animé par une énergie sans cesse agissante.

Ainsi s'expliquerait deux caractéristiques de sa création littéraire. Son œuvre n'est jamais vraiment achevée, et cet inachèvement n'est pas le signe d'une incapacité de mener un texte à sa perfection, mais plutôt d'un refus de clore, de figer le texte dans sa forme définitive. Jacques Chouillet dans son article : « Un théâtre en devenir : les ébauches de Diderot »[2] avait proposé cette comparaison entre les ébauches théâtrales de Diderot et les monstres dans des perspectives prédarwiniennes. Et de faire appel à la vision des « monstres » que propose la *Lettre sur les aveugles,* et que l'on trouve, prolongée, tout aussi bien dans *Le Rêve de d'Alembert.* « Une profusion d'ébauches, écrit J. Chouillet, pour un chef-d'œuvre. » Diderot ne mène à bien que trois pièces de

1. J. Chouillet, *Diderot poète de l'énergie,* PUF, 1984.
2. J. Chouillet, « Un théâtre en devenir : les ébauches de Diderot », *Diderot et le théâtre,* Comédie-Française, p. 81-82.

théâtre, mais il en ébauche quantité d'autres avec cette profusion de possibles qui est bien le fait de la richesse du vivant. Cependant, « à la différence de la nature, l'artiste ne peut s'empêcher de finaliser ce qu'il produit, même quand ses conceptions n'arrivent pas à terme. Il s'ensuit un compromis entre les lois du hasard et la nécessité (par nécessité j'entends les lois de la pensée qui dictent à l'œuvre sa forme et son fonctionnement). Si le hasard l'emporte sur la nécessité, c'est l'hypothèse du monstre qui prévaut. Dans le cas inverse, l'ébauche se mue en œuvre d'art »[1].

J'insisterais cependant sur un autre aspect de la création de Diderot : tel l'univers, son œuvre est en perpétuelle expansion. Ce phénomène est particulièrement sensible pour ces deux textes dont on ne saurait cependant nier la perfection : *Jacques le Fataliste,* et *Le Neveu de Rameau.* Les nombreuses études qui ont été consacrées à ces textes, prouvent comment Diderot a procédé par « greffe », ajoutant sans cesse des anecdotes, comme si l'œuvre grandissait et absorbait dans son propre dynamisme tout ce qui se présentait, dans une sorte de boulimie, transformant en partie intégrante du chef-d'œuvre les anecdotes les plus ordinaires, de la même façon que l'organisme vivant décrit par *Le Rêve de d'Alembert,* transforme en matière vivante, par le phénomène de la digestion, tout ce qu'il absorbe. Pour *Le Fils naturel* et pour *Le Père de famille,* dans la mesure où il suit une esthétique encore proche du classicisme, il ne jouit pas de la même liberté que dans le roman, et comme il les fait imprimer très vite, le texte est rapidement fixé, mais dans *Est-il bon ? Est-il méchant ?* dont l'élaboration s'est poursuivie sur un plus grand laps de temps, le procédé d'expansion est bien le même que dans les romans : Diderot ajoute, développe jusqu'à ce que Hardouin se trouve à la tête de sept intrigues à dénouer. Et si cette tendance au greffage n'a pu s'exercer sur le texte même du *Fils naturel* et du *Père de famille,* les développements théoriques qui les accompagnent, *Entretiens* et *De la*

1. *Ibid.,* p. 81-82.

poésie dramatique permettent à ce trop-plein de la création de se déverser, dans la mesure où on y lit d'autres versions, d'autres possibles des deux pièces.

On pourrait ainsi expliquer par cette analogie avec les mécanismes du vivant, cet autre aspect de la création de Diderot, particulièrement sensible dans les dernières années, mais qui se manifeste pendant toute son existence : la propension à faire passer un texte d'une œuvre à une autre, à réutiliser, à transformer, ainsi entre le *Supplément au Voyage de Bougainville* et l'*Histoire des deux Indes*. C'est parce que chaque œuvre n'a pas de limites fixées une fois pour toutes que de tels transferts sont possibles, et toujours tentants pour l'écrivain dont l'œuvre finalement apparaît comme un grand tout à l'intérieur duquel circulent à la façon de particules vivantes tel développement, telle anecdote, telle expression.

La profusion de la nature et de l'écriture de Diderot est telle que l'écrivain n'a pas peur de se faire des emprunts à lui-même – tout artiste s'en fait, Diderot peut-être plus qu'un autre. Mais il y a encore une particularité chez lui qui est moins répandue chez la plupart des auteurs : la générosité, l'abondance de son énergie créatrice l'amènent à ne pas mettre sa signature à tout ce qu'il écrit. Et la prudence, la présence de la censure n'expliquent pas à elles seules ce phénomène. Quand il donne à Burney des éléments pour son histoire de la musique, il s'agit de générosité pure. D'où cette difficulté de la critique à cerner vraiment ce grand tout qu'est l'œuvre de Diderot, le temps qu'il a fallu pour discerner les passages de l'*Histoire des deux Indes* qui lui reviennent, les hésitations qui portent encore sur bien des articles de l'*Encyclopédie*. L'absence de limites, c'est bien là un des traits fondamentaux de Diderot et ce sentiment d'une circulation incessante de l'énergie d'une œuvre à une autre, de son œuvre à celle des autres.

Sa faculté de remettre en cause les limites génériques que l'on constate dans ses textes théâtraux et ailleurs, serait peut-être à rapprocher de cette même conception de la totalité du vivant et de sa continuité. Un article de l'*Encyclopédie* devient un conte philosophique, un drame peut devenir un roman. Diderot aime développer les possibilités des genres intermédiaires, comme des chaînons de l'évolution animale. « Nature ne fait rien par saut, écrit-il dans le *Salon de 1757,* [...] cela n'est pas moins vrai dans les arts que dans l'univers. »[1] Ce qui lui plaît tant dans le drame, c'est qu'il comble le chaînon manquant entre le tragique et le comique. Cette continuité du vivant implique une continuité des genres littéraires qui doivent couvrir la totalité de l'humain, et le refus de rompre cette continuité en établissant des barrières.

Continuité qui s'exprime aussi dans le style même par le recours à la métaphore qui noue ce lien entre le microcosme de l'homme et le macrocosme de l'univers. Le statut de la métaphore chez Diderot, justement parce qu'elle prend en charge cette unité du vivant, apparaît comme très particulier, dans les *Entretiens* ou dans *Le Rêve de d'Alembert,* en ce sens que la limite entre comparant et comparé s'estompe. Le changement de décor dans les *Entretiens* est l'image de la variabilité d'humeur de Dorval ; l'essaim d'abeilles dans *Le Rêve de d'Alembert* est-il une simple image, une réalité ? Les deux en même temps.

Autre aspect de l'esthétique de Diderot : l'importance de l'accent qui rythme l'unité de la mélodie, et sa passion pour la musique, le phrasé musical devenant le modèle de la déclamation. La phrase musicale accentuée présente bien cette double caractéristique de l'univers pour Diderot, la continuité, flux incessant du vivant, mais aussi l'énergie, le dynamisme que donne l'accent. C'est peut-être dans le délire ou dans la conversation que cette continuité du vivant et ce dynamisme de l'énergie s'expriment le plus librement, loin de toute contrainte ; d'où sa prédilection pour ces modes d'expression dont les deux œuvres que nous avons tenté d'approcher apportent bien la démonstration. Et il en faut toujours en revenir à cette lettre de novembre 1769 à

1. *Salon de 1757*, B, t. IV, p. 528.

Mme de Maux, lettre à laquelle nous avons plusieurs fois fait allusion, parce qu'elle est capitale ; écrite justement au moment de l'élaboration du *Rêve de d'Alembert,* elle souligne le lien qui existe entre le choix d'une forme littéraire et la conception du vivant : Diderot parle de la « langue du cœur » « mille fois plus variée que celle de l'esprit », la langue de l'intuition scientifique, la langue aussi des poètes, des devins, des pythies, de tout ce féminin présent dans chaque homme ; elle échappe à une rationalité étroite, il est impossible de donner les « règles de sa dialectique ». « Cela tient du délire, et ce n'est pas du délire. Cela tient du rêve, et ce n'est pas le rêve. Mais comme dans le rêve ou le délire, ce sont les fils du réseau qui commandent à leur origine, le maître se résout à la condition d'interprète. »[1] Plusieurs années auparavant, dans une lettre du 20 octobre 1760, plus près donc des *Entretiens,* Diderot rapprochait la conversation du rêve et du délire : « Voyez les circuits que nous avons faits. Les rêves d'un malade en délire ne sont pas plus hétéroclites. Cependant, comme il n'y a rien de décousu ni dans la tête d'un homme qui rêve, ni dans celle d'un fou, tout tient aussi dans la conversation ; mais il serait quelquefois bien difficile de retrouver les chaînons imperceptibles qui ont attiré tant d'idées disparates. »[2] Quelques lignes plus loin, il parle non plus de « chaînons », mais de « fils », proches des « fils du réseau » de la lettre de 1769. Cette prédilection de Diderot pour la forme (ou plutôt l'absence apparente de forme stricte), du « rêve », du « délire », de la conversation répond donc à ce désir de laisser le texte reproduire cette complexité du vivant, dont les réseaux et la continuité se révèlent alors à la pensée scientifique.

1. B, t. V, p. 993.
2. B, t. V, p. 271.

Bibliographie

ÉDITIONS DES ŒUVRES DE DIDEROT

Œuvres complètes, éd. chronologique, établie par R. Lewinter, 15 vol. Club français du livre, 1968-1973.

Œuvres complètes, éd. H. Dieckmann, J. Proust, J. Varloot *et al.,* Hermann, depuis 1975.

Œuvres, éd. établie par L. Versini, I : *Philosophie* ; II : *Contes* ; III : *Politique* ; IV : *Esthétique. Théâtre* ; V : *Correspondance,* Laffont, « Bouquins », 1994 et sq.

Œuvres philosophiques, éd. P. Vernière, Garnier, 1956 ; rééd. 1967, 1980, 1990.

Œuvres esthétiques, éd. P. Vernière, Garnier, 1959 ; rééd. augmentée, 1965.

Œuvres politiques, éd. P. Vernière, Garnier, 1963.

Œuvres romanesques, éd. H. Bénac, Garnier, 1959 ; rééd. revue par L. Pérol, 1981.

Correspondance, éd. G. Roth et J. Varloot, 16 vol., éd. de Minuit, 1955-1970.

ÉTUDES CRITIQUES

Belaval (Y.), *L'esthétique sans paradoxe de Diderot,* Gallimard, 1950 ; rééd. 1971.

Benot (Y.), *Diderot, de l'athéisme à l'anticolonialisme,* Maspero, 1970.

Bonnet (J.-Cl.), *Diderot,* Livre de poche, Libr. gén. fr., coll. « Textes et débats », 1984.

Bourdin (J.-Cl.), *Diderot. Le matérialisme*, PUF, « Philosophies », 1998.

Buckdahl, *Diderot critique d'art*, 2 vol., Copenhague, Rosenkilde & Bagger, 1980.

Chouillet (J.), *La formation des idées esthétiques de Diderot, 1745-1763*, Colin, 1973.

Chouillet (J.), *Diderot poète de l'énergie*, PUF, « Écrivains », 1984.

Crocker (Lester-G.), *The embattled philosopher. A biography of Denis Diderot*, Michigan, State College Press, 1954 ; rééd. NY-Londres, Collier-Macmillan, 1966.

Daniel (G.), *Le style de Diderot. Légende et structure*, Droz, 1986.

Darnton (R.), *L'Aventure de l'Encyclopédie. Un best-seller au siècle des Lumières*, Perrin, 1982, coll. « Points-Histoire », 1992.

Dieckmann (H.), *Cinq leçons sur Diderot*, Genève, Droz, Paris, Minard, 1959.

Daniel (G.), *Le style de Diderot. Légende et structure*, Genève, Droz, 1986.

Didier (B.), *Jacques le Fataliste et son maître*, Gallimard, « Foliothèque », 1998.

Duchet (M.), *Diderot et l' « Histoire des deux Indes » ou l'Écriture fragmentaire*, Nizet, 1978.

Duchet (M.) et Launay (M.), *Entretiens sur « Le Neveu de Rameau »*, Nizet, 1967.

Durand-Sendrail (B.), *La musique de Diderot, essai sur le hiéroglyphe musical*, Kimé, 1994.

Ehrard (J.), « Diderot après 1750 », dans R. Mauzi et S. Menant, *Littérature française, XVIII* siècle, 1750-1778*, Arthaud, t. X, 1977.

Fabre (J.), *Lumières et romantisme*, Klincksieck, 1980.

Fontenay (E. de), *Diderot ou le matérialisme enchanté*, Grasset, 1981.

Gaiffe (F.), *Le drame en France au XVIII* siècle*, rééd. A. Colin, 1970.

Gusdorf (G.), *Les principes de la pensée au siècle des Lumières*, Payot, 1971.

Kempf (R.), *Diderot et le roman ou le démon de la présence*, Seuil, 1964 ; rééd. 1976.

Leca-Tsiomis (M.), *Écrire l'Encyclopédie. Diderot, de l'usage des dictionnaires à la grammaire philosophique*, *Studies on Voltaire*, 375, Oxford, Voltaire Foundation, 1999.

Lefebvre (H.), *Diderot. Hier et aujourd'hui*, 1949 ; rééd. *Diderot ou les affirmations fondamentales du matérialisme*, L'Arche, 1983.

Lepape (P.), *Diderot*, Flammarion, 1991.

Lewinter (R.), *Diderot ou les mots de l'absence : essai sur la forme de l'œuvre*, Champ libre, 1976.

Lioure (M.), *Le drame*, A. Colin, 1963.

Lough (J.), *The contributors to the Encyclopédie, Studies on Voltaire*, n° 223, 1984.

Luppol, *Diderot. Ses idées philosophiques*, trad. Y. et V. Feldmann, Paris, Éd. sociales intern., 1936.

Maixent (J.), *Le XVIII* siècle de Milan Kundera, ou Diderot investi par le roman contemporain*, PUF, 1988.

Marchal (F.), *La Culture de Diderot*, Champion, 1999.

Martin-Haag (E.), *Diderot ou l'inquiétude de la raison*, Ellipses, coll. « Philosophes », 1998.

May (Georges), *Quatre visages de Diderot*, Boivin, 1951.

May (Gita), *Diderot et Baudelaire critiques d'art*, Droz-Minard, 1957.

Mayer (J.), *Diderot homme de science*, Rennes, Impr. bretonne, 1959.

Mayer (J.), Édition critique des *Éléments de physiologie*, M. Didier, 1964.

Melançon (B.), *Diderot épistolier. Contribution à une poétique de la lettre familière au XVIII* siècle*, Fides, 1996.

Ménil (A.), *Diderot et le drame. Théâtre et politique*, PUF, « Philosophies », 1995.

Ménil (A.), *Diderot et le théâtre*, I : *Le drame* ; II : *Les acteurs*, (préface, notes et dossier par), Pocket, Agora, 1995.

Mortier (R.), *Le Cœur et la Raison*, Oxford, The Voltaire Foundation, Paris, Universitas, 1990.

Moureau (F.), *Le roman vrai de l'Encyclopédie*, Gallimard, « Découvertes », 1990.

Pinault (M.), *L'Encyclopédie*, PUF, « Que sais-je ? », 1993.

Pomeau (R.), *Diderot, sa vie, son œuvre, avec un exposé de sa philosophie*, PUF, « Philosophes », 1967.

Pommier (J.), *Diderot avant Vincennes*, Boivin, 1939.

Proust (J.), *Diderot et l'Encyclopédie*, A. Colin, 1972 ; rééd. A. Michel, 1995.

Proust (J.), *Lectures de Diderot*, A. Colin, 1974.

Proust (J.), *L'Encyclopédie. Diderot et d'Alembert.* Planches et commentaires présentés par J. Proust.

Roger (J.), *Les Sciences de la vie dans la pensée française au XVIII* siècle*, Colin, 1963, 2e éd. complétée, 1971.

Rousseau (N.), *Diderot : l'écriture romanesque à l'épreuve du sensible*, Champion, 1997.

Saint-Amand (P.), *Diderot, le labyrinthe de la relation*, Vrin, 1984.

Schmitt (E.-E.), *Diderot ou la philosophie de la séduction*, Albin Michel, 1997.

Schwab (R. N.), *Inventory of Diderot's Encyclopedie*, Genève, Institut Voltaire, Voltaire Foundation, 1971-1972.

Séguin (J.-P.), *Diderot. Le discours et les choses (essai de description du style d'un philosophe en 1750)*, Klincksieck, 1978.

Spear (F.), *Bibliographie de Diderot*, Répertoire analytique international, Genève, Droz, t. I, 1980, t. II *(années 1976-1986)*, 1988. Suppl. in *Diderot Studies*.

Stenger (G.), *Nature et liberté chez Diderot après l'Encyclopédie*, Universitas, 1994.

Sumi (Y.), *Le Neveu de Rameau, caprices et logique du jeu*, Tokyo, Éd. France-Tosho, 1975.

Trousson (R.), *Images de Diderot en France (1784-1913)*, Champion, 1997.

Varloot (J.), *Le Neveu de Rameau et autres dialogues philosophiques*, Paris, 1972.

Venturi (R.), *La jeunesse de Diderot*, Skira, 1939.

Vernière (P.), *Lumières ou clair-obscur ?*, PUF, 1987.

Versini (L.), *Denis Diderot, alias frère Tonpla*, Hachette, 1996.

Wilson (A. M.), *Diderot. Sa vie et son œuvre*, New York, Oxford Univ. Press, 1972, trad. de l'anglais, Laffont, Ramsay, « Bouquins », 1985.

REVUES CONSACRÉES À DIDEROT

Diderot Studies, Genève, Droz, 1949 et sq. *(DS).*

Recherches sur Diderot et l'Encyclopédie, éd. par la Société Diderot, diff. Klincksieck, semestriel, 1986 et sq. *(RDE).*

OUVRAGES COLLECTIFS ET NUMÉROS SPÉCIAUX DE REVUES

Autographes, copies, éditions, Études réunies et présentés par B. Didier et J. Neefs, Presses universitaires de Vincennes, 1987.

Dictionnaire Diderot, dir. R. Mortier et R. Trousson, Champion, 1999.

Diderot, CAIEF, 1961.

Diderot, Europe, 1963 et mai 1984.

Diderot, RHLF, septembre-octobre 1993.

Diderot et l'art de Boucher à David, Éd. des Musées nationaux, 1984.

Diderot et le théâtre, « Les grands dramaturges », Comédie-Française, 1984.

Diderot, les beaux-arts et la musique, Actes du Colloque d'Aix-en Provence, 1984, Univ. de Provence, 1986.

Diderot en liberté. Magazine littéraire, octobre 2000.

Diderot. Philosophie. Matérialisme, dir. A. Tosel, *Recherches sur Diderot et l'Encyclopédie,* 26, 1999.

Diderot et la question de la forme, dir. A. Ibrahim, PUF, « Débats philosophiques », 2000.

Éditer Diderot, études réunies par G. Dulac, Oxford, The Voltaire Foundation, 1988.

L'Encyclopédie. Diderot, l'esthétique, Mélanges en hommage à J. Chouillet, textes réunis et publiés par S. Auroux, D. Bourel et Ch. Porset, PUF, 1991.

Les ennemis de Diderot, Colloque octobre 1991, Klincksieck, 1993.

Études sur « Le Neveu de Rameau » et le « Paradoxe », textes réunis par G. Benrekassa, M. Buffat et Ph. Chartier, *Textuel,* 1992.

Interpréter Diderot aujourd'hui, Colloque Cerisy (dir. E. de Fontenay et J. Proust), Le Sycomore, 1984.

La matière et l'homme dans l'Encyclopédie, dir. S. Albertan-Coppola et A.-M. Chouillet, Klincksieck, 1998.

L'Univers de l'Encyclopédie, images d'une civilisation. Les 135 plus belles planches de l'Encyclopédie de Diderot et d'Alembert, Études de R. Barthes, R. Mauzi et J.-P. Seguin, Les Libraires associés, 1964.

SUR *LE FILS NATUREL* ET LES *ENTRETIENS*

Éditions

Éd. L. Versini, Laffont, « Bouquins », t. IV, 1996.

Éd. critique, DPV, Hermann, t. X : *Le drame bourgeois,* 1980 (par A.-M. et J. Chouillet).

Tasca (V.), *Le Fils naturel,* introd. et notes, Bordeaux, Sobodi, 1965 (avec fac-simile de l'éd. originale).

Théâtre du XVIIIᵉ siècle, éd. J. Truchet, Gallimard, « Pléiade », 1972-1974, t. II.

Année littéraire, Amsterdam, Paris, 1757, t. 4, p. 143-173 (E.-C. Fréron).

Bibliothèque impartiale, 16, 1757, p. 74-88 (J. H. S. Formey).

Correspondance littéraire philosophique et critique par Grimm Diderot, Raynal, Meister, etc., revue sur les originaux par M. Tourneux, Garnier, 1877-1882. Réimpr. Nendeln/Liechtenstein, Kraus Reprint, 1968, t. III, p. 345-357 ; t. IX, p. 378-381.

Journal encyclopédique, 15 avril 1757.

Garnier (J.-J., abbé), *Le bâtard légitime ou le triomphe du comique larmoyant, avec un examen du « Fils naturel »,* Amsterdam, 1758, p. 77-100.

Palissot de Montenoy (Ch.), « Lettre seconde. *Le Fils naturel* », dans *Petites lettres sur les grands philosophes,* Paris, 1757, réimpr. *OC,* Londres, Paris, 1779.

Études critiques

Diderot, l'invention du drame, études réunies et présentées par M. Buffat, Klincksieck, 2000.

Études sur « Le Fils naturel », dir. N. Cronk, Oxford, Voltaire Foundation, 2000.

Balcou (J.), « Un épisode de la guerre entre Diderot et Fréron : l'affaire du "Fils naturel" en 1757 », *Annales de Bretagne,* Rennes, 80, 1973, p. 499-506.

Buffat (M.), « La force du théâtre », *L'Encyclopédie, Diderot, l'esthétique, Mélanges Chouillet,* PUF, 1991.

Buffat (M.), « Diderot et le dialogue ou la force de la pensée », *Visages de D. Diderot,* dir. J. Y. Pouilloux et B. Decron, Université Denis-Diderot - Musée de Langres, 1994.

Chartier (P.), « Diderot et son théâtre », *Visages de Diderot* (cf. *supra*).

Chouillet (A.-M.), « Dossier du *Fils naturel* et du *Père de famille* », *Studies on Voltaire,* n° 208, 1982.

Chouillet (J.), « Diderot vu par Lessing », *Diderot et le théâtre* (cf. *supra*).

Cosson (D. F.), « Innovation and renewal : a study of the theatrical works of Diderot », *Studies on Voltaire,* 1989.

Costaz (G.), « Diderot vu par ses metteurs en scène et ses acteurs », *Magazine littéraire,* octobre 2000.

Dieckmann (H.), *Diderot und Goldoni*, Krefeld, Scherpe, 1961, recueilli dans *Diderot und Aufklärung...*, 1972.

Eisenstein (S. M.), « Diderot a parlé du cinéma », *Europe*, n° 661, 1984.

Fontenay (E. de), « *Dorval et moi*, la réconciliation de la sensibilité et de la moralité », *Comédie-Française*, n° 105, janvier 1982 (à propos du spectacle de Jean Dautremay au Petit-Odéon).

Franz (P.), *L'esthétique du tableau dans le théâtre du XVIII*ᵉ *siècle*, PUF, 1998.

Franz (P.), « Un théâtre pour les Lumières », *Magazine littéraire*, octobre 2000.

Gaiffe (F.), cf. *supra*.

Guedj (A.), « Les drames de Diderot », *Diderot Studies*, 14, 1971, p. 15-95.

Hobson (M.), « Notes pour les *Entretiens sur le Fils naturel* », 74, *RHL*, 1974, p. 203-213.

Ipotesi (M.), « Inceste et préjugés dans le théâtre de Diderot », *Contesti*, VII, 5/6, 1994 (1996).

Jean-Bernard, « Théâtre-Français, 28 septembre 1771 : *Le Fils naturel*, pièce en trois actes par Diderot », *Comoedia*, 28 septembre 1929.

Lioure (M.), *Le drame de Diderot à Ionesco*, Colin, 1973.

Lorenceau (A.), « Une note autographe sur Diderot et l'île de Lampédouse », *RDE*, octobre 1996.

McLaughlin (B.), « A new look at Diderot's *Le Fils naturel* », *Diderot Studies*, 10, 1968, p. 109-119.

Mittman (B.), « Some sources of the André scene in Diderot's *Fils naturel* », *Studies on Voltaire*, 116, 1973, p. 211-219.

Mortier (R.), « Diderot et la gestuelle », Colloque Münster, *Transactions of the ninth International Congress of Enlightenment*, Oxford, Voltaire Foundation, 1996.

Mortier (R.), « Diderot et la fonction du geste », *RDE*, octobre 1997.

Moureau (Fr.), « Les paradoxes de Lampédouse », *Présence de Diderot* (Colloque Duisburg), Bern, Lang, 1990.

Niklaus (R.), « Diderot et Rousseau : pour et contre le théâtre », *Dix-huitième siècle*, 1963.

Pérol (L.), « Diderot, les tragiques grecs et le P. Brumoy », *Studies on Voltaire*, 1976.

Pérol (L.), « Une autre lecture du *Fils naturel* et des *Entretiens* », *RHLF,* 1976, p. 47-58.

Pérol (L.), « Didier Diderot lecteur de Denis : ses réflexions sur *Le Fils naturel* », prés. par Lucette Perol, *RDE* (octobre 1991).

Pérol (L.), « Diderot et le théâtre intérieur », *Recherches sur Diderot et l'Encyclopédie,* octobre 1995.

Proust (J.), « Le paradoxe du *Fils naturel* », *Diderot Studies,* 4, 1963, p. 209-220.

Rebejkow (J. Ch.), « La musique dans les *Entretiens sur le Fils naturel* », *Revue romane,* Copenhague, t. XXI, 1996.

Sherman (C.), « Imagining incest in Diderot's *Le Fils naturel* », *Perceptions of Values in French Literature,* éd. Freeman, G. Henry, Amsterdam, Atlanta, Rodopi, 1995.

Shewalter (E. J.), « Diderot and madame de Graffigny's *Cénie* », *French Review,* 39, 1965-1966, p. 394-397.

Starobinski (J.), « L'accent de la vérité », *Diderot et le théâtre* (cf. *supra*).

Szondi (P.), « Denis Diderot. Théorie et pratique dramatiques », *Diderot et le théâtre* (cf. *supra*).

Tesson (Ph.), *« Le Fils naturel »* (mise en scène d'Alain Bézu, TEP), *Revue des deux Mondes,* janvier 1994.

Voltz (P.), « À propos d'une représentation du *Fils naturel* » (à Aix), in *Diderot, les beaux-arts et la musique* (cf. *supra*).

SUR *LE RÊVE DE D'ALEMBERT*

Éditions

Diderot, *Le Rêve de d'Alembert, Entretien entre d'Alembert et Diderot et Suite de l'Entretien,* éd. critique par Paul Vernière, Paris, Didier, Société des textes français modernes, 1951.

Diderot, *Œuvres philosohiques,* éd. P. Vernière, Garnier (cf. *supra*).

Diderot, *Le Rêve de d'Alembert,* chronologie et introduction par Jacques Roger, GF, 1975.

Diderot, *Le Rêve de d'Alembert,* texte de la copie de Leningrad, éd. J. Varloot, Éd. sociales, 1962 ; rééd. 1971.

Diderot, *Le Rêve de d'Alembert,* éd. critique par J. Varloot, *Œuvres,* Hermann, t. XVII, 1987.

Diderot, *Le Rêve de d'Alembert* in *Œuvres,* éd. L. Versini, Laffont, « Bouquins », t. I, 1994.

Anderson (W.), « Diderot's laboratory of sensibility », *Yale French Studies,* New Haven, n° 67, 1984, p. 72-91.

Asse (E.), *Lettres de Mlle de Lespinasse,* Paris, 1906 (contient : « Portrait de Mlle de Lespinasse par d'Alembert adressé à elle-même en 1771 »).

Baridon (M.), « L'imaginaire scientifique et la voix humaine dans *Le Rêve de d'Alembert* », *L'Encyclopédie, Diderot, l'esthétique,* Mélanges en hommage à J. Chouillet, PUF, 1991.

Becq (A.), « Le chèvre-pied et l'égalité », in *Aspects du matérialisme en France autour de 1770,* Soc. Études XVIIIe siècle, 1981.

Belaval (Y.), « Les protagonistes du *Rêve de d'Alembert* », *Diderot studies,* t. III, 1961.

Belaval (Y.), « Trois lectures du *Rêve de d'Alembert* », *Diderot Studies,* 1975.

Belaval (Y.), « L'horizon matérialiste du *Rêve de d'Alembert* », dans *Diderot und die Aufklärung,* München, Kraus, 1980.

Blair (D.), « Camouflage et feinte. Le rêve dans la littérature française du XVIIIe siècle », *French Studies in Southern Africa,* Pretoria, n° 6, 1977, p. 43-56.

Booy (J. de), « Quelques renseignements inédits sur un manuscrit du *Rêve de d'Alembert, Neophilologus,* 40, 1956, p. 81-93.

Cermuschi (A.), « D'Alembert pris au jeu de la musique », *Recherches sur Diderot et l'Encyclopédie,* octobre 1996.

Chouillet (J.), « Le vocabulaire de la hiérarchie dans *Le Rêve de d'Alembert* » dans *Traitements informatiques de textes du XVIIIe siècle et de la Révolution,* Textes et doc., 7, 1984.

Daniel (G.) « Autour du *Rêve de d'Alembert* : réflexions sur l'esthétique de Diderot », *Diderot Studies,* 12, 1969, p. 13-73.

Delon (M.), « La métaphore comme expérience dans *Le Rêve de d'Alembert* », *Aspects du matérialisme en France autour de 1770,* Soc. des études du XVIIIe siècle, 1981.

Dieckmann (H.), « The metaphoric structure of the *Rêve de d'Alembert* », *Diderot Studies,* 1973.

Dieckmann (H.), « J. A. Naigeon's analysis of Diderot's *Rêve de d'Alembert* », *Modern language Notes* (Baltimore), 53, 1938, p. 479-486.

Dieckmann (H.), « Théophile Bordeu und Diderot's *Rêve de dAlembert* », *Romaniche Forschungen,* Erlangen, 52, 1938, p. 55-122.

Dieckmann (H.), May (Georges) et Vartanian (A.), « Studies on the *Rêve de d'Alembert* », *Diderot studies*, 1973.

Dion-Sigoda (Fr.), « L'homme-clavecin. Évolution d'une image », *Éclectisme et cohérence des Lumières*, Mélanges offerts à J. Ehrard, Nizet, 1992.

Dulac (G.), « Une version déguisée du *Rêve de d'Alembert* : le manuscrit de Moscou », dans *Recherches nouvelles sur quelques écrivains des Lumières*, dir. J. Proust, Centre d'études du XVIIIᵉ siècle, Montpellier, 1979.

Hill (E.), « Materialism and monsters in Diderot's *Le Rêve de d'Alembert* », *Diderot Studies*, 1968.

Hoffmann (P.), « L'idée de liberté dans la philosophie médicale de Théophile de Bordeu », *Studies on Voltaire*, 88, 1972, p. 769-787.

Jouary (J.-P.) (éd.), *Diderot et la matière vivante*, Messidor, Éd. sociales, 1992.

Lojkine (St), « L'antre de Platon. Rêve et élaboration poétique chez Diderot », *Résistances de l'image*, Pens, 1992.

Lojkine (St), « Le matérialisme biologique du *Rêve de d'Alembert* », *Littératures*, n° 30, printemps 1994.

Ludewig (B.), « Le rêve de Démocrite », dans *Aspects du matérialisme en France autour de 1770*, Soc. Études XVIIIᵉ siècle, 1981.

Ludewig (B.), « Rêve, écriture et folie dans le *Rêve de d'Alembert* », *Aspects du matérialisme en France autour de 1770*, Soc. Études XVIIIᵉ siècle, 1981.

Mason (H.), *French writers and their society, 1715-1800*, London, Macmillan, 1982, voir « The development of biological science ; Diderot, *Le Rêve de d'Alembert* ».

May (Georges), « *Le Rêve de d'Alembert* selon Diderot », *Diderot Studies*, 17, 1973, p. 25-39.

Mortier (R.), « Rhétorique et discours scientifique dans le *Rêve de d'Alembert* », *Le cœur et la raison*, 1990.

Mortier (R.), « Note sur un passage du *Rêve de d'Alembert* : Réaumur et le problème de l'hybridation », *Revue d'Histoire des sciences et de leurs applications*, 13, 1960, repris dans *La vie et l'œuvre de Réaumur (1683-1757)*, PUF, 1962.

Pascal (J.-N.), « Le Rêve d'amour de d'Alembert », *DHS*, n° 16, 1984.

Pérol (L.), « Quelques racines encyclopédiques dans *Le rêve de d'Alembert* », dans *L'Encyclopédie et Diderot*, éd. E. Mass et P. E. Knabe, Köln, DME Verlag, 1985.

Pommier (J.), « La copie Naigeon du *Rêve de d'Alembert* est retrouvée », *Revue d'Histoire littéraire*, 52, 1952, p. 25-47.

Pommier (J.), « Le problème Naigeon », *Revue des Sciences humaines*, 14, 1949, p. 2-11.

Proust (J.), « Source et portée de la théorie de la sensibilité généralisée dans *Le Rêve de d'Alembert* », *La quête du bonheur et l'expression de la douleur*, Mélanges Corrado Rosso, Droz, 1995.

Proust (J.), « Une nouvelle édition du *Rêve de d'Alembert* », *Revue d'Histoire littéraire*, 63, 1963, p. 281-287.

Proust (J.), « Variations sur un thème de l'*Entretien avec d'Alembert* », *Revue des Sciences humaines*, 28, 1963, p. 453-470.

Rebejkow (J. Ch.), « Matérialisme et musique. Quelques réflexions à propos du *Rêve de d'Alembert* », *Zeitschrift für französische Sprach und Lit.*, Wiesbaden, CVII, 1997.

Roger (Ph.), « L'invention d'une forme. L'écriture matérialiste du *Rêve de d'Alembert* », *Début et fin des Lumières en Hongrie, en Europe centrale et en Europe orientale*, 6ᵉ Colloque Matrfüred, publ. I. Kovacs, Budapest, Akad. Kiado et CNRS, 1987.

Schwartz (L.), « L'image de l'araignée dans *Le rêve de d'Alembert* », *Romance Notes*, Chapell Hill, NC, 15, 1973-1974, p. 264-267.

Smith (I. H.), *« Le rêve de d'Alembert and the De natura rerum »*, *Journal of the Australian Universities Language and Literature Association* (Christ Church), nᵒ 10, 1959.

Starobinski (J.), « Le philosophe, le géomètre, l'hybride », *Poétique*, 1975, p. 8-23.

Varloot (J.), « Le projet antique du *Rêve de d'Alembert* », *Beiträge zur Romanischen Philologie*, Berlin, 1963, II.

Varloot (J.), « La copie Naigeon : prolégomènes philologiques au *Rêve de d'Alembert* », dans *Essays on Diderot and the Enlightenment, in honor of Otis Fellows*, Genève, Droz, 1974.

Vartanian (A.), « Diderot's rhetoric of paradoxe of the conscious automaton observed », *Eighteenth Century Studies* (Berkeley), 1980-1981.

Vartanian (A.), « The *Rêve de d'Alembert* : a bio-political view », *Diderot Studies*, 17, 1973, p. 41-64.

Werner (St), « Comédie et philosophie. Le style du *Rêve de d'Alembert* », *RDE*, avril 1997.

Winter (U.) « Philosophie des sciences et morale "matérialiste" : le troisième dialogue du *Rêve de d'Alembert* », *Studies on Voltaire*, 216, 1983.

Table des matières

* Titre reparu ou à paraître dans la collection « Quadrige ».

* Titre reparu ou à paraître dans la collection « Quadrige ».

—	*Le roman à l'œuvre*
Isabelle MOINDROT	*La représentation d'opéra : poétique et dramaturgie*
Christine MONTALBETTI	*Le voyage, le monde et la bibliothèque*
Jean-Marc MOURA	*L'image du Tiers Monde dans le roman français contemporain*
Hisayasu NAKAGAWA	*Des Lumières et du comparatisme*
Nagao NISHIKAWA	*Le roman japonais depuis 1945*
Jean ONIMUS	*La maison corps et âme*
—	*Étrangeté de l'art*
—	*Béance du divin*
Daniel OSTER	*L'individu littéraire*
Denis PERNOT	*Le roman de socialisation en France, 1889-1914*
Michel PICARD	*La littérature et la mort*
Daniel POIRION	*Résurgences*
Gérard POMMIER	*Naissance et renaissance de l'écriture* (2ᵉ éd.)
Gwenhaël PONNAU	*La folie dans la littérature fantastique*
Georges POULET	*La pensée indéterminée* — I, II, III (3 volumes)
Valérie RAOUL	*Le journal fictif dans le roman français*
Marie-Claire ROPARS-WUILLEUMIER	*Le texte divisé. Essai sur l'écriture filmique* (épuisé)
Jean SAREIL	*L'écriture comique*
Jacques SCHERER	*Dramaturgies d'Œdipe*
—	*Le théâtre en Afrique noire francophone*
—	*La dramaturgie du vrai-faux*
Anne SIMON	*Proust ou le réel retrouvé*
André SIGANOS	*Le minotaure et son mythe*
—	*Mythe et écriture : la nostalgie de l'archaïque*
Agnès SOLA	*Le futurisme russe*
Michel STANESCO, Michel ZINK	*Brève histoire européenne du roman médiéval*
Alexandre STROEV	*Les aventuriers des Lumières*
Jacqueline SUBLET	*Le voile du nom. Essai sur le nom propre arabe*
Susan Rubin SULEIMAN	*Le roman à thèse ou l'autorité fictive*
Françoise SUSINI-ANASTOPOULOS	*L'écriture fragmentaire. Définitions et enjeux*
Jean-Yves TADIÉ	*Le roman d'aventures**
Alice VINCENS-VILLEPREUX	*Écritures de la peinture*
Charlotte WARDI	*Le génocide dans la fiction romanesque*
André WYSS	*Éloge du phrasé*
Yinde ZHANG	*Le roman chinois moderne. 1918-1949*
Michel ZINK	*La subjectivité littéraire*

* Titre reparu ou à paraître dans la collection « Quadrige ».

Imprimé en France
Imprimerie des Presses Universitaires de France
73, avenue Ronsard, 41100 Vendôme
Mars 2001 — N° 48 012